MARCO ⊕ POLO

KV-410-039

Francja

tylko tutaj **porady ekspertów**

Autor przewodnika, Axel Patitz,
mieszka w południowo-zachodniej
Francji i dla serii Marco Polo
opracował już przewodniki
po Burgundii, Bretanii i francuskim
wybrzeżu atlantyckim.

REKOMENDACJE EKSPERTÓW MARCO POLO
Atrakcje polecane przez naszych autorów
(Tylko w MARCO POLO)

★ **LISTA PRZEBOJÓW MARCO POLO**
Najlepsze pozycje w każdej kategorii

⩗ **MIEJSCA WIDOKOWE**

⚹ **MIEJSCA SPOTKAŃ MŁODZIEŻY**

KATEGORIE CENOWE

Hotele		Restauracje	
€€€	ponad 110 euro	€€€	ponad 30 euro
€€	65–110 euro	€€	15–30 euro
€	do 65 euro	€	do 15 euro

Ceny dwuosobowego pokoju ze śniadaniem. Ceny za pokój jednoosobowy są zazwyczaj takie same.

Ceny pełnego posiłku dla jednej osoby (bez wina); w lokalach niższej kategorii liczba dań jest zazwyczaj mniejsza.

MAPY

[166 A1] Numery stron oraz współrzędne w atlasie samochodowym Francji

[U A1] Współrzędne na planie Paryża na wewnętrznej stronie okładki z tyłu przewodnika

[0] Miejsca poza zasięgiem mapy

Przeglądowa mapa aglomeracji paryskiej na stronach 174–175

Dla lepszej orientacji współrzędnymi objęte zostały również miejscowości, które nie znalazły się na mapie.

CIEKAWOSTKI

Darz bór! **14** · Francuskie specjały **20**
Raj dla bibliofilów **70** · Klejnot przy autostradzie **88**
Warto przeczytać **156**

SPIS TREŚCI

Lista superprzebojów
MARCO POLO – Francja

**Zabytki i miejsca,
których nie można przegapić**

 Luwr
Mona Lisa, egipskie złoto,
antyczne piękności z marmuru –
największy skarbiec świata.
(s. 29)

 Musée National Picasso
Dzieła geniusza XX-wiecznego
malarstwa. (s. 30)

 Chantilly
Luksusowe centrum treningowe
koni w pałacu księcia
Kondeusza. (s. 32)

 Nancy
Najwytworniejsze z miast Francji.
W jego sercu imponujący place
Stanislas. (s. 40)

 Colmar
Typowy dla Alzacji pruski mur
w Colmar jest jedynie uroczą
oprawą dla wspaniałych zbiorów
sztuki. (s. 44)

 Giverny
Słynny staw z liliami, pracownia
oraz mieszkanie Moneta
przyciągają turystów z całego
świata. (s. 53)

 Carnac
Spacer wśród tajemniczych,
kamiennych bloków wprowadza
w mistyczny nastrój. (s. 65)

Colmar, Rue des Marchands

Spływ kajakowy w Gorges du Tarn

 Mont-Saint-Michel
Gigantyczna góra klasztorna na
środku zatoki jest celem podróży
milionów turystów. (s. 74)

 Beaune
W tym burgundzkim mieście
i wino, i sztuka są na
najwyższym poziomie. (s. 79)

 Vulcania
Wulkaniczny krajobraz Owernii
wzbogacił się ostatnio
o fascynujący park wulkaniczny
nieopodal Mont-Dore. (s. 83)

Zamek na wodzie w Azay-le-Rideau

 Azay-le-Rideau
Renesansowy zamek robi
szczególne wrażenie podczas
spektaklu *Son-et-Lumière*
w ciepłą, letnią noc. (s. 90)

 Rocamadour
Cel królewskich pielgrzymek do
dziś nie stracił nic ze swojej
atrakcyjności. (s. 110)

 Tuluza
Rodzinne miasto Airbusa i Ariane
zaprasza na wirtualną podróż
w kosmos. (s. 113)

 Awinion
Piękne papieskie miasto latem
zamienia się w wielką scenę
teatralną. (s. 120)

 Gorges du Tarn
Dziki, malowniczy, niesamowity
– wąwóz rzeki Tarn to
prawdziwy cud natury. (s. 124)

★ *Opisane miejsca zaznaczono na mapie, na rozkładanej okładce z tyłu przewodnika*

Odkrywanie Francji

Poznawanie kraju o tak niezwykłych krajobrazach, wspaniałej przeszłości historycznej i bogactwie kulturowym jest fascynującą przygodą

Dumni paryżanie utrzymują, że ich miasto jest pępkiem kraju i wszystko poza nim określają mianem prowincji. W rzeczywistości jednak Francja, która kształtem przypomina sześciokąt zwany przez Francuzów *l'Hexagone*, cieszy oko taką różnorodnością krajobrazów, fascynuje tyloma regionalnymi osobliwościami oraz bogactwem zjawisk kulturalnych, historycznych, społecznych i gospodarczych, że nawet pobieżne poznanie kraju podczas jednorazowej wizyty jest absolutnie niemożliwe. Z pewnością jednak uda się odczuć tę charakterystyczną „sztukę życia", znaną na całym świecie jako savoir-vivre, która sprawi, że nawet krótkie spotkanie z Francją stanie się niezwykłym, odświeżającym przeżyciem. Obojętne, czy podróżuje się autem, nocując codziennie w innym hotelu, spędza trzy tygodnie w domku nad morzem, bierze udział w wycieczce rowerowej, przemierza statkiem burgundzkie kanały czy wędruje przez Cevennen – zawsze

Wieża Eiffla dominuje nad panoramą Paryża

nadarzy się okazja, by spotkać się z typową dla Francuzów życzliwością i pogodą ducha.

Poniżej scharakteryzowano pokrótce najważniejsze regiony geograficzne kraju. Z kanałem La Manche i Belgią graniczy na północy region Nord-Pas-de-Calais. Krajobraz jest tu płaski i pod względem widokowym niezbyt pociągający, ale takie zabytki, jak katedra w Amiens czy podcienia w Arras, należą do atrakcji o ogólnokrajowym znaczeniu. Na wybrzeżu warto odwiedzić tak znane miasta, jak Dunkierka, Calais, Boulogne czy cieszące się niegdyś światową sławą i wśród paryżan wciąż niezwykle popularne kąpielisko Le Tou-

Jeden z największych rzymskich akweduktów, Pont du Gard, na zachód od Awinionu

Kalendarium

ok. 10 000 p.n.e. Koniec paleolitu; słynne malowidła naskalne w południowej Francji (m.in. w Lascaux).

58–51 p.n.e. Cezar podbija całą Galię. Powstaje rzymska sieć osadnicza.

440–751 n.e. Panowanie Merowingów.

751–986 Panowanie Karolingów. Państwo Franków największą potęgą Europy.

XIII w. Prześladowania albigensów. Rozkwit Francji pod panowaniem Ludwika IX (1226–1270). Późny gotyk, fundacja Sorbony.

1337–1453 Wojna stuletnia z Anglią.

od 1562 Francją wstrząsają konflikty religijne. Wojny hugenockie.

od 1589 Wzmocnienie władzy centralnej za rządów Henryka VI. Po jego zamordowaniu (1610 r.) nowa fala prześladowań hugenotów (protestantów francuskich).

1643–1715 Panowanie Ludwika XIV, Francja zyskuje rangę mocarstwa.

1789–1792 Wielka Rewolucja Francuska.

1799–1815 Panowanie Napoleona I. Pierwsze Cesarstwo.

1814–1848 Okres restauracji. Wypłata odszkodowań dla szlachty. Upadek monarchii w wyniku rewolucji lutowej 1848 r.

1848–1870 Druga Republika oraz Drugie Cesarstwo. Ludwik Napoleon, początkowo wybrany na prezydenta, przybiera w 1852 r. tytuł cesarza Napoleona III.

1870–1914 Po przegranej wojnie z Prusami powstaje Trzecia Republika.

1914–1945 Walki pozycyjne podczas I wojny światowej. Okupacja Francji przez Niemcy w czasie II wojny światowej. Lądowanie sprzymierzonych w Normandii 6 czerwca 1944 r.

1946–1958 Czwarta Republika.

1958 Piąta Republika. Kryzys algierski; Charles de Gaulle prezydentem do 1969 r.

1981–1995 Prezydentura François Mitterranda.

1997 Prezydent Jacques Chirac powołuje Lionela Jospina na stanowisko premiera.

1998 Francja mistrzem świata w piłce nożnej.

2000 Skrócenie kadencji prezydenckiej z 7 do 5 lat.

2002 Ponowny wybór Jacques'a Chiraca na urząd prezydencki.

Niezwykłe formy skalne na dzikim wybrzeżu Côtes d'Armour w Bretanii

quet-Paris Plage z wielokilometrową plażą.

Normandia, kraj calvadosu i sera kamamber, ręcznie koszonych łąk, zacisznych wsi, domów z pruskiego muru i klasztornych ruin, urzeka pięknem. Na południu leży stolica departamentu, Rouen, z ulubionym motywem obrazów Moneta – słynną katedrą Notre Dame. Nieopodal plaż, na których 6 czerwca 1944 r. rozpoczęła inwazję największa flota wojenna w dziejach świata, są położone dawne rezydencjonalne miasta królów normańskich – Caen i Bayeux.

Nie tylko na słynnych Omaha, Utah i Sword Beach, ale w całej Normandii podkreśla się, że ten spokojny, rolniczy kraj ucierpiał podczas II wojny światowej jak żaden inny we Francji. Wspólnym wysiłkiem udało się jednak odbudować zniszczone miasta i ich zabytki.

Kraj calvadosu i sera kamamber

Sąsiednia Bretania różni się od Normandii niemal pod każdym względem. Spokojny temperament Normandczyków kontrastuje z osobowością Bretończyków, w których żyłach nie płynie krew wikingów, lecz Celtów. Bretończykom przypisuje się nie tylko upór i cierpliwość, ale i bogatą wyobraźnię oraz głęboką religijność. Podczas tzw. *pardons*, ponad dwudziestu corocznych pielgrzymek, całe wsie w tradycyjnych strojach wyruszają z krzyża-

9

mi, sztandarami i figurami świętych ku oddalonym świątyniom.

Na skalistych wybrzeżach Côte des Légendes, Côte de Granit Rose czy Côte d'Émeraude, łącznie określanych mianem Côtes d'Armor, skrywają się rybackie wioski i niewielkie porty, których niezwykła atmosfera przywodzi na myśl prastare legendy.

Na wschodnich rubieżach Francji, w Alzacji i Lotaryngii, trudno odnaleźć jakiekolwiek podobieństwa z Bretanią. Mieszkańców tych regionów łączy jedynie to samo obywatelstwo. W Alzacji lokalny niemiecki dialekt używany jest równolegle z językiem francuskim. Prowincja, włączona do Francji w 1648 r., przeszła po wojnie w latach 1870–1871 w ręce Niemiec, by w roku 1918 ponownie stać się częścią kraju nad Sekwaną. Dziś niemieccy turyści przyjeżdżają tu nie tylko ze względu na jej pograniczne położenie. Charakterystyczna architektura z pruskiego muru, świetna kuchnia, porośnięte winoroślą wzgórza, winiarnie oraz znakomite zbiory sztuki sprawiają, że kraj między Renem a Wogezami cieszy się popularnością przez cały rok. W Strasburgu, oprócz potężnej katedry, znajduje się także siedziba powstałej w 1949 r. Rady Europy. W nowoczesnym Palais d'Europe przez pięć dni w miesiącu obraduje Parlament Europejski; to także miejsce pracy ponad tysiąca urzędników.

Podróż do Burgundii to niemal pielgrzymka do korzeni kultury zachodniej. Miejscowości, takie jak Vézelay, gdzie w romańskiej bazylice Ste-Madeleine słynny Bernard z Clairvaux wezwał do drugiej wyprawy krzyżowej, Beaune ze swym Hôtel-Dieu czy majestatyczne ruiny klasztoru Cluny – pozostawiają niezapomniane wrażenia. Wśród winnych zboczy Côte d'Or, „złotych stoków" na południe od Dijon, przycupnęły malutkie wsie, których nazwy kojarzą się z winami najlepszego gatunku.

Loara (1020 km) jest najdłuższą rzeką Francji. Jej kilkusetkilometrowy odcinek zyskał międzynarodową sławę jako oblężona przez turystów kraina zamków. Prawdziwi znawcy niekoniecznie jednak jeżdżą nad Loarę wyłącznie w lipcu i sierpniu, lecz również jesienią lub wiosną. Odwiedzin warte są nie tylko Chambord, Amboise, Chenonceau czy inne królewskie rezydencje, tętniące niegdyś dworskim życiem, ale także czarujące zameczki nad okolicznymi rzekami Cher, Indre, Vienne i Loir.

Odmienny charakter ma dolina Rodanu: tu od niepamiętnych czasów przebiega jedna z głównych europejskich osi komunikacyjnych północ–południe. Lyon, drugie co do wielkości miasto Francji, zasługuje na wizytę nie tylko ze względu na wyjątkową ofertę gastronomiczną. Na wschodzie, aż po szwajcarską i włoską granicę, rozciągają się Alpy. Właśnie tam, w prowincji Rodan-Alpy (Rhône-Alpes), na amatorów białego szaleństwa czeka Grenoble, najsłynniejszy kurort i ośrodek sportów zimowych Górnej Sabaudii.

Strasburg od 1949 r. jest siedzibą Rady Europy

Urlop na francuskim wybrzeżu atlantyckim między La Baule i Biarritz będzie z pewnością nie mniej udany niż ten spędzony na śródziemnomorskim Lazurowym Wybrzeżu, opanowanym już przez masową turystykę. Jednak i nad Atlantykiem próżno szukać samotności – Francuzi od ponad stu lat wysoko cenią sobie tutejsze kurorty i kąpieliska.

Jak wszystkie większe miasta, Bordeaux uległo w ostatnich dziesięcioleciach imponującemu, dynamicznemu rozwojowi. Przyczyniły się do tego znacząco *conseils régionaux* – rady regionalne powołane w związku z zainicjowanym przez François Mitterranda procesem decentralizacji kraju. Akwitanię, region na południowym zachodzie, war-

Périgord – kraina trufli i gęsich wątróbek

to odwiedzić nie tylko ze względu na jej sielską urodę, podobnie jak słynącą z trufli i gęsich wątróbek prowincję Périgord, gdzie regionalna tożsamość łączy się harmonijnie z kulturą ogólnonarodową.

Na uboczu uczęszczanych szlaków turystycznych rozpościera się niemal całe Midi, od Kraju Basków na zachodzie po Langwedocję i Roussillon. Głównymi atrakcjami regionu są Tuluza, Pau czy Albi, gdzie połączenie współczesności i lokalnej, oksytańskiej tradycji tworzy niepowtarzalną atmosferę. To cecha typowa zarówno dla Midi, jak i dla Prowansji, której historyczne dziedzictwo i południowe słońce potrafią zauroczyć każdego przybysza.

Canal de Midi łączący Atlantyk z Morzem Śródziemnym

Baskowie, Bretończycy i inni

W rozdziale opisano regionalne ciekawostki i podano szczegółowe informacje krajoznawcze

Architektura

Zabytki z czasów starożytnych zachowały się przede wszystkim na terenie Prowansji: Pont-du-Gard, świątynia w Nîmes, amfiteatry w Arles, Nîmes i Fréjus, łuki triumfalne w St-Rémy i Orange. Rzymskie bramy miejskie i łuki triumfalne podziwiać można także w Besançon, Langres, Autun, Reims i Saintes, a łaźnie – w Nîmes i Paryżu. Z okresu romańskiego pochodzą liczne zabudowania klasztorne z krużgankami. Wzorem dla bazylik w całej Europie stała się budowla w burgundzkim Cluny.

W pełni rodzimym kierunkiem architektonicznym (nazywanym *style français*) był we Francji gotyk (XII–XV w.). Jego wybitnym przykładem jest katedra w Chartres, niemal równie cenne świątynie w Reims i Amiens oraz obiekt zupełnie wyjątkowy – Mont-St-Michel.

Renesans pojawił się w kraju za panowania Karola VIII, który budowę zamku w Amboise powierzył artystom włoskim. Podczas

Więcej niż tylko nakrycie głowy: baskijski beret

rządów Franciszka I powstały między innymi rezydencje w Château-dun, Chenonceau i Chambord. W Paryżu wzniesiono gmachy wokół Place des Vosges, wewnętrzny dziedziniec Luwru i pałac Tuileries, zniszczony w 1871 r.

Do najsłynniejszych architektów czasów Ludwików XIV, XV i XVI, a więc epoki francuskiego klasycyzmu, należeli François Mansart i jego kuzyn Jules Hardouin-Mansart (boczne skrzydło Wersalu, Place Vendôme). Styl empire i romantyczny są charakterystyczne dla epoki napoleońskiej; między okresem klasycyzmu a wiekiem XX zapożyczano motywy ze stylów wcześniejszych. Postacią niezwykle zasłużoną dla renowacji średniowiecznych zabytków był Eugène Viollet-le-Duc (1814–1879), który gruntownie odnowił m.in. Cité w Carcassonne i paryską Notre Dame. Epoka szkła i żelaza rozpoczęła się z końcem XIX w., wraz z pracami architekta Tony'ego Garniera. Za jedną z najbardziej udanych pionierskich realizacji konstruktorskich uchodzi wieża Eiffla, wybudowana w latach 1887–1889 według projektu Alexandre'a Gustave'a Eiffela.

W okresie powojennym wokół Paryża wyrosły wielkie miasta-satelity, w latach 70. Centre Pompidou, a w niedawnej przeszłości potężny Arche de la Défence autorstwa Duńczyka Otto von Spreckelsena (1989 r.), futurystyczne Cité de la Science et de l'Industrie de la Villette w Paryżu (1984–1989) oraz opera koło Bastylii (1989 r.).

Korsyka (Corse)

Licząca 8,722 tys. km^2 Korsyka jest po Sycylii, Sardynii i Cyprze czwartą co do wielkości wyspą śródziemnomorską. Ponad 50 szczytów wznoszących się na wysokość powyżej 2000 m n.p.m. sprawia, że górska Korsyka zyskała sobie miano „Wyspy Piękna". Zaledwie 5,5% jej powierzchni jest wykorzystywane rolniczo, przede wszystkim do uprawy winorośli, owoców i tytoniu, a także oliwek, fig i kasztanów. Owce i kozy należą do najważniejszych zwierząt hodowlanych.

Po wciąż ponawianych próbach wywalczenia niezależności i 484 latach genueńskiego panowania władzę nad Korsyką przejęła w 1768 r. Francja. W roku 1794 wyspa wpadła w ręce brytyjskie, ale już dwa lata później najwybitniejszy Korsykanin, Napoleon Bonaparte, podporządkował ją ponownie Francji i podzielił na dwa departamenty: Corse-du-Sud i Haute-Corse. Korsyka do dziś jednak nie może zaznać spokoju. Wciąż dochodzi do zamachów bombowych, organizowanych przez FLNC (Front de Libération Nationale de la Corse) i pozostałe ugrupowania separatystyczne, których ofiarą padają także wysocy francuscy urzędnicy. Zamachy nie są jednak w zasadzie wymierzone przeciwko turystom.

Największym miastem wyspy i miejscem narodzin Napoleona jest Ajaccio (55,2 tys. mieszk.), któremu niewiele ustępuje Bastia (50 tys. mieszk.).

Darz bór!

Na łowy?

Dla wielu Francuzów myślistwo to nie sport, ale wręcz sposób życia, „symbol wolności", jak podkreśla tamtejszy związek łowiecki. Poluje się od września do początku lutego. Do lasów wyruszają wówczas uzbrojeni po zęby mężczyźni (kobiety w zasadzie nie biorą udziału w tych ekspedycjach), którzy rzucają się w pogoń za dzikami, sarnami i jeleniami. Zapaleni łowcy przemieszczają się zazwyczaj samochodami. Niedoskonała technika strzelecka sprawia, że bezpiecznie nie mogą się czuć nie tylko współtowarzysze takich wypraw, ale i przypadkowi rowerzyści, spacerowicze czy grzybiarze. Rosnąca świadomość zagrożenia sprawiła, że liczba zabitych myśliwych spadła w ostatnich latach o połowę (ok. 25 osób); ciężkie rany odniosło prawie 100 amatorów polowań, a lekkie – 70.

Grande Plage w Biarritz

Kraj i ludzie

Francja (551 tys. km²) jest największym krajem Europy Zachodniej. Około 190 tys. km² zajmują użytki rolne. Łączna długość wybrzeża atlantyckiego i śródziemnomorskiego wynosi niemal 3,1 tys. km.

Różnorodny jest we Francji nie tylko krajobraz, ale i ludność (ok. 60,5 mln). Składają się na nią potomkowie Celtów oraz różnych grup napływowych: Rzymian, Germanów, Normanów oraz imigrantów, m.in. z Hiszpanii, Włoch, Polski, Rosji i krajów północnoafrykańskich. We Francji żyją też liczne lokalne mniejszości etniczne: na północy – Flamandczycy oraz potomkowie Normanów i Bretończycy, na południowym zachodzie i południu – Baskowie i Katalończycy, mieszkańcy Prowansji i Langwedocji, na wschodzie – Alzatczycy i Lotaryńczycy, a na Morzu Śródziemnym – Korsykanie.

Starania o zachowanie dla przyszłych pokoleń języka i tradycji Basków, Bretończyków, Katalończyków, Alzatczyków i innych grup etnicznych wspierane są przez państwo. Współczesny język francuski powstał z *langue d'oil*, grupy dialektów, które wykształciły się na północ od Masywu Centralnego z lokalnej wersji łaciny. *Langue d'oc*, język oksytański, był używany na południu i przetrwał do dziś w postaci kilku dialektów, nazywanych *patois*. Obecnie jednak zna go już tylko pokolenie urodzone przed II wojną światową. Silną pozycję języka francuskiego na świecie – dla około 122 mln osób w Belgii, Szwajcarii i dawnych koloniach francuskich jest on językiem ojczystym – wspiera dodatkowo specjalnie do tego powołane Ministère de la Francophonie.

Les beurs

Tak we własnym żargonie określają się urodzeni we Francji potomkowie muzułmańskich imigrantów z Afryki Północnej. *Beurowie* (wyraz „beur" powstał poprzez modyfikację fonetyczną słowa „arabe") znają z języka swoich przodków jedynie pojedyncze słowa i uznawani są – podobnie jak w Niemczech dzieci przybyszów z Turcji – za tzw. pokolenie „ani--ani", z jednej strony skonfliktowane z surowym tradycjonalizmem rodziców, z drugiej zaś odrzucone przez francuskie otoczenie. Wychowują się na *banlieues*, ponurych przedmieściach, słynących z dużej przestępczości, narkomanii i rywalizacji gangów. Mimo to od lat 80. ubiegłego wieku istnieje pewien rodzaj *Culture Beur*, który łączy w sobie elementy arabskie i francuskie, znajdując swój wyraz w muzyce i literaturze. Warto wspomnieć, że we francuskich szkołach prężnie działa inicjatywa SOS-Racisme walcząca z dyskryminacją na tle rasowym i propagująca poprzez edukację zasadę równości społecznej.

Parki narodowe

Na terenie Francji znajduje się obecnie siedem parków narodowych, 38 parków regionalnych oraz tzw. *réserves*. Parki narodowe zajmują jednak największą powierzchnię, szczególnie w regionie alpejskim: przez Parc National de la Vanoise (530 km²), między Arc a Isère, prowadzą szlaki piesze o łącznej długości ponad 500 kilometrów. Pod względem wielkości ustępuje on jednak Parc National des Écrins (2,7 tys. km²), między dolinami Romanche, Drac i Durance, oraz Parc National du Mercantour (6,58 tys. km²), położonemu wzdłuż granicy włoskiej. W tym ostatnim zachował się szczególnie bogaty świat roślinny i zwierzęcy (m.in. orły przednie). Wyjątkową sławą cieszy się Vallée des Merveilles (Dolina Cudów) w Parc National Mercan-

tour, w której przetrwało około 100 tys. rysunków naskalnych z epoki brązu. Rajem dla miłośników natury i pieszych wędrówek jest także Parc National des Pyrénées (457 km²) w zachodniej części gór z 350 kilometrami tras pieszych. Informacji udziela Fédération des Parcs Naturels de France, rue Stockholm, 4, 75008 Paris, ☎0144908620 www.parcs--naturels-regionaux.tm.fr.

Regiony winne

Z liczbą 5 tys. plantacji, małych i wielkich *châteaux* oraz 1350 km² powierzchni uprawnej Bordelais nieopodal Bordeaux jest najważniejszym regionem winnym we Francji. Dwa inne ważne okręgi na północnym wschodzie to Szampania (roczna produkcja ok. 150 mln butelek szampana) oraz Alzacja. Burgundia ma aż pięć regionów winnych: Côte d'Or, Côte Chalonnaise, Chablis, Mâconnais i Beaujolais. Touraine, Anjou i Muscadet są największymi terenami upraw w dolinie Loary (Val de Loire). Niewielką, ale wysokiej jakości produkcją szczyci się także Sabaudia. To samo dotyczy okręgu Cahors na południowym zachodzie, gdzie plantacje zakłada się już od VII w. Przywleczona z Ameryki zaraza zniszczyła w XIX w. większość miejscowych upraw, jednak udało się rozpocząć hodowlę na nowo.

Powierzchniowo większy jest położony bardziej na południe Gaillac; tamtejsze rozmaite gatunki wina zazwyczaj jednak znajdują zbyt na rynku lokalnym. W Appellation Côtes-du-Rhône na południowym wschodzie plantacje winorośli zajmują 400 km². Jeszcze

Stado owiec w Parc National des Écrins w Alpach Sabaudzkich

większy jest region winny w Langwedocji, w którym wytwarza się głównie *vin ordinaire* (rodzaj wina stołowego). Jego jakość ulega od kilku lat zdecydowanej poprawie; coraz lepsze są również wina z sąsiedniego okręgu Roussillon. Najstarszym regionem winnym Francji jest jednak Prowansja.

Rolnictwo

Sposób zagospodarowania gruntów rolnych jest zróżnicowany w poszczególnych regionach. W Normandii dominują pastwiska i gospodarka oparta na produktach mlecznych, w Bretanii przeważa uprawa warzyw i pasz, podczas gdy Île-de-France na północ i południowy zachód od Paryża może uchodzić za narodowy spichlerz. W takich rejonach górskich, jak Masyw Centralny, Jura, Alpy Zachodnie czy Pireneje, kórych znaczną część zajmują tereny nieuprawne, popularny jest wypas bydła. W regionie Prowansja-Alpy-Lazurowe Wybrzeże (Provence-Alpes-Côte d'Azur) oraz Langwedocja-Rousssillon (Languedoc-Roussillon) szczególne znaczenie ma hodowla owiec oraz utrzymywanie systemów nawadniających, umożliwiających uprawę warzyw, owoców i winorośli.

W porównaniu z Niemiecami czy Wielką Brytanią, 5-procentowy udział rolnictwa francuskiego w ogólnym zatrudnieniu jest wciąż stosunkowo wysoki. Rosnące koszty i twarda konkurencja coraz bardziej utrudniają jednak rolnikom egzystencję. Z 500 tys. francuskich chłopów, którzy w 2000 r. przeszli na emeryturę, aż 300 tys. musiało sprzedać swoje gospodarstwa. W latach 2000–2003 liczba gospodarstw rolnych spadła z 664 tys. do 600 tys. Eksperci przewidują, że w przyszłości zaledwie 200 tys. wielkopowierzchniowych gospodarstw zapewni dzisiejszy 2,7-procentowy udział rolnictwa w produkcie narodowym brutto.

Trufle z hrabstwa Périgord

Francja to raj dla smakoszy. W każdym jej zakątku czekają na nich niezwykłe rozkosze podniebienia

Sztuka kulinarna wciąż jest istotną częścią francuskiej kultury. Widać to nawet w najskromniejszych restauracjach bez gwiazdek, kucharskich czapek czy srebrnych zastaw. Szczególnie atrakcyjna dla podróżujących po kraju nad Sekwaną jest mnogość regionalnych kuchni. Niestety, zagranicznemu turyście starającemu się zgłębić tajniki menu na przeszkodzie staje często bariera językowa. Bez wątpienia jednak kuchnia francuska to kuchnia z polotem.

Petit déjeuner zasługuje z pewnością na swoją nazwę. Śniadanie spożywa się raczej szybko – to jedynie filiżanka *café au lait*, odrobina białego chleba z marmoladą i *croissant*. W lepszych hotelach proponuje się także soki owocowe, müsli, gotowane jaja itp.

Obiad, *déjeuner*, serwuje się pomiędzy 12.00 a 14.00. W wiejskich gospodach składa się on z zupy, przekąski, dania głównego i deseru. Na koniec podaje się filiżankę kawy.

Mała, mocna, czarna: niektórzy nie wyobrażają sobie posiłku bez petit noir

Głównym posiłkiem dnia jest wieczorny *dîner*. Rzadko rozpoczyna się go przed 20.00. W zależności od ceny menu składa się z trzech, czterech bądź pięciu dań. Zamawianie *á la carte* jest znacznie droższe, chyba że wybierze się jedynie zupę, danie główne i sery lub deser. Ponieważ kolacja to posiłek wielodaniowy, porcje są stosunkowo niewielkie.

Na początek serwuje się najczęściej zupę, po której następuje przekąska (*hors-d'œuvre*). *Entreé* to ciepłe danie podawane przed daniem głównym (mięsnym lub rybnym). Jako przystawkę stosuje się zazwyczaj warzywa. Sałatkę podaje się z reguły dopiero po daniu głównym. Ponieważ Francuzi w zasadzie jadają niemal surowe (*bleu*) bądź krwiste (*saignant*) mięso, należy zaznaczyć przy składaniu zamówienia, czy ma być ono *à point* bądź *medium* (na wpół usmażone), czy też *bien cuit* (dobrze wysmażone).

Żaden posiłek nie może się obyć bez białego pieczywa, które podaje się w nieograniczonych ilościach. Istotnym elementem jest także ser (*fromage*), serwowany po daniu głównym; przy uboższym

Francuskie specjały

Mały leksykon specjałów kuchni francuskiej

Potrawy
anchoïade – pasta sardelowa
z czosnkiem i oliwą

bœuf bourguignon – kawałki
mięsa wołowego duszone
w czerwonym winie z cebulą i szalotką

bouillabaisse – klasyczne danie
rybne z południa, z co najmniej
trzema gatunkami ryb, szczypiorkiem,
koperkiem, pomidorami i cebulą

cassoulet – fasola z wieprzowiną
lub baraniną oraz słoniną
i warzywami

confit de canard – kaczka
ugotowana i zamarynowana we
własnym tłuszczu

coq au vin – kawałki koguta
gotowane w sosie z czerwonego
wina z wędzoną słoniną, cebulą
i ziołami

crème brulée – krem z jajek
i mleka z karmelem

daube provençale – duszone
przez wiele godzin danie mięsno-
-warzywne

matelot d'anguilles – potrawka
z węgorza w czerwonym lub białym
winie z dodatkiem cebuli, słoniny,
ziół i przypraw

mouclade – małże w wywarze
z białego wina z szalotką i pietruszką,
podawane z masłem, śmietaną
i żółtkiem

plateau de fruits de mer –
owoce morza podane na wielkim
talerzu

pot-au-feu – pożywne danie
o niezliczonych wariantach
regionalnych

quiche lorraine – płaskie, kruche
ciasto z jajkiem, mlekiem, śmietaną,
słoniną, szynką i cebulą

salade niçoise – sałatka ze
świeżych pomidorów, ogórków,
karczochów, zielonej papryki, jajek na
twardo, sardynek, tuńczyka i in.

soupe au pistou – gęsta,
pożywna zupa warzywna
z pomidorami, ziołami i pastą
z dodatkiem bazylii, czosnku
i oliwy (*pistou*)

tripes à la mode de Caen –
silnie doprawione flaki wołowe
z włoszczyzną oraz cydrem
i calvadosem

Napoje
bière pression – piwo z beczki,
zazwyczaj jasne (*blonde*)

petit noir – mała, mocna, czarna
kawa, często podawana na
zakończenie posiłku

menu zastępuje on deser. Można zamówić wybrany gatunek lub talerz z różnymi serami dostępnymi w menu.

Na deser (*dessert*) oprócz pysznych, nieprzesłodzonych ciast (*tartes*) proponuje się także lody, sorbet oraz *mousse au chocolat*. Zasada podawania czerwonego wina do mięs i białego do ryb nie jest już zbyt ściśle przestrzegana. Lekkie, czerwone wino dobrze pasuje także do owoców morza. Wino pije się zresztą wyłącznie do posiłku, a nie po jego zakończeniu. Na stole pojawia się wówczas karafka z wodą, dodatkowo zamawia się często butelkę gazowanej (*gazeuse*) lub niegazowanej (*non gazeuse*) wody mineralnej. Posiłek niemal zawsze kończy *café noir* lub *express*, którą trzeba jednak specjalnie zamówić.

Bistro, brasserie, restaurant

Bistro (także *bistrot*) to dla Francuzów ważne miejsce spotkań, w którym goście czują się niemal jak w domu. Lokale tego typu działają prawie na każdym rogu, i to od 6.00 rano do północy. Zamawia się zazwyczaj *express*, czerwone wino bądź aperitif, a także proste posiłki; danie dnia (*plat de jour*) rzeczywiście zmienia się codziennie. W dużych miastach niektóre bistro nie różnią się w zasadzie od restauracji z dobrą kuchnią i eleganckim wnętrzem. Podobnie zresztą jak *brasserie* (piwiarnia, pub) – niejednokrotnie wielkie restauracje albo zaaranżowane w nich lokale, w których także gotuje się na wysokim poziomie.

We Francji jest mnóstwo restauracji (*restaurant*) o różnym standardzie. Zwykle specjalizują się w jakimś rodzaju kuchni (np. regionalnej, tradycyjnej, północnoafrykańskiej, wietnamskiej). Od kategorii restauracji zależą i cena, i jakość. Kolorowe, blaszane tabliczki na drzwiach z datami oraz nazwami uznanych organizacji kucharskich i gastronomicznych to gwarancja, że nie należy się obawiać kulinarnych rozczarowań. Przy wejściu wywieszone jest ponadto menu z aktualnymi cenami (*carte*). Z wyborem stolika należy zazwyczaj poczekać na sugestię kelnera. Miejsce w lepszych lokalach, szczególnie jeśli planuje się wizytę w porze *dîner*, warto zarezerwować telefonicznie. Obsługa jest wliczona w cenę, pozostawia się jednak napiwek (do 10% rachunku). Jednorazowa wizyta w dobrym lokalu w czasie pobytu we Francji jest niemalże obowiązkiem. Znalezienie odpowiedniego miejsca nie powinno sprawić problemów, ponieważ na terenie kraju działa ok. 600 restauracji z maksymalną liczbą gwiazdek Michelina.

Jedzenie podaje się w zasadzie między 12.00 a 14.00 oraz 19.00 a 22.00. Większość restauracji działa do 24.00. Posiłki zamawia się z menu, w którym ceny uzależnione są od liczby i rodzaju dań, lub komponuje je samodzielnie z pojedynczych dań *à la carte*, przy czym należy wziąć pod uwagę, że w tym wypadku rachunek będzie o ok. 1/3 wyższy. Przy wyborze wina można śmiało zdecydować się na *vin maison* – w karafce lub butelce. Jego jakość jest zazwyczaj bez zarzutu, a kosztuje o połowę mniej niż niedrogie markowe wino.

Targowiska i hale targowe

Wyśmienite produkty regionalne to najlepsza pamiątka z wycieczki do Francji

Zakupy na targu pod gołym niebem (*marches en plein air*) w prowincjonalnym francuskim miasteczku to naprawdę duża przyjemność. Sprzedawcy oferują bogaty wybór wszystkiego, z czego słynie francuska kuchnia. Aby zagwarantować świeżość drobiu, uśmierca się go dopiero na miejscu, po uprzednim wybraniu przez klienta odpowiedniej sztuki. Oprócz regionalnych win prywatni hodowcy i pośrednicy sprzedają także warzywa, owoce, ser oraz mięsa i kiełbasy. Zwykle nie brakuje też stoisk z pieczonym kurczakiem, *paellą* lub *crêpes*, dzięki czemu można zaspokoić chwilowy głód lub zaopatrzyć się w prowiant na później. Buszowanie wśród straganów to poza tym świetna okazja do poznania regionalnego rzemiosła i rękodzielnictwa.

Niezależnie od odbywających się raz w tygodniu lub częściej targów w niemal każdym większym mieście funkcjonuje także hala targowa (*la halle*). Trudno o lepsze miejsce do zakupu artykułów spożywczych i lokalnych specjałów, ponieważ z praktycznych względów wszystko gromadzi się tu pod jednym dachem. Dotyczy to również ogromnych super- i hipermarketów na przedmieściach, które oferują bardzo szeroki asortyment tanich, markowych i często regionalnych produktów.

Godziny otwarcia sklepów nie podlegają we Francji prawnym ograniczeniom i dlatego są mocno zróżnicowane. W tygodniu pracuje się zazwyczaj od 9.00 do 12.30 oraz od 14.30 do 19.00 (również w soboty), przy czym piekarnie oraz sklepy z artykułami spożywczymi, papierosami i upominkami działają nawet w niedzielne przedpołudnia. W dużych miastach wielu handlowców rezygnuje także z przerwy obiadowej.

Na prowincji sklepy są zamknięte także w poniedziałki, ale w miesiącach wakacyjnych (VII, VIII) często zdarzają się wyjątki od tej reguły. Niektóre produkty regionalne (np. musztardę, miód, likiery i chleb owocowy) można znaleźć w punktach oznaczonych napisem *produits régionaux*.

W wielu miejscowościach można odwiedzić pracownię lokalnego artysty malarza

Stolica i „Wyspa Francji"

Ekscytująca metropolia otoczona wieńcem wspaniałych pałaców

Wśród światowych metropolii Paryż (Paris; 2,15 mln mieszk.) zajmuje szczególne miejsce: nigdzie indziej wszystkie elementy charakterystyczne dla całego kraju nie splatają się w tak jednolitą całość. Miasto, które przez paryżan jest uważane za prawdziwy pępek świata, oferuje atrakcje odpowiednie dla każdego portfela i każdego gustu. Oprócz jednego: pięknych krajobrazów i prowincjonalnego spokoju. Wiele miejsc położonych poza stolicą można jednak odwiedzić podczas jednodniowej wycieczki metrem lub pociągiem.

PARYŻ

Mapa na wewnętrznej okładce z tyłu przewodnika

[168 B4] Mówi się, że Paryż to nie Francja. Ileż w tym prawdy! Paryż jest niepowtarzalny, to po prostu zjawisko, wokół którego od zawsze gromadziły się tłumy zarówno wielkich artystów o międzynarodowej sławie, jak i bezimiennych turystów. Pod tym względem ta

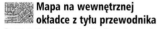

Od ponad stu lat znak rozpoznawczy Paryża: wieża Eiffla

Autorem rzeźb jest Niki de Saint-Phalle

stolica mody, sztuk i rozrywki co roku bije rekordy frekwencji. Popularnością cieszą się zarówno typowe atrakcje w rodzaju wieży Eiffla, Sacré-Cœur czy Luwru, jak i najnowsze obiekty: potężny łuk triumfalny Arche de la Défense, „nowa" opera na Place de la Bastille czy futurystyczne Cité des Sciences.

ZWIEDZANIE

Wieża Eiffla **[U A4]**

Żelazny symbol miasta, wzniesiony w 1889 r. z okazji Wystawy Światowej, waży dokładnie 7,175 tys. t, ma 320,75 m wysokości i zawiera 2,5 mln nitów. Dobra restauracja, cudowny widok. Quai

Wejście do Luwru prowadzi przez szklaną piramidę

Branly, www.monum.fr, latem 9.30–23.00, poza sezonem 10.00–22.30.

Ogród Luksemburski
(Jardin du Luxembourg) [U D5]

Ta oaza spokoju przy Boulevard Saint-Michel należy do najpiękniejszych parków Paryża. Nazywana jest ogrodem poetów (ich liczne pomniki zdobią zresztą parkowe alejki). Młodzi i starzy wypoczywają przy szachach, tenisie, grze w bule lub jeździe konnej.

Montmartre [U D–E1]

„La Butte (wzgórze) Montmartre", „wolna gmina" zachowała swój wiejski czar. Pod górę pną się wąskie uliczki i schody, przy których wznoszą się malownicze domy. Mieszkali tu słynni artyści, między innymi Pablo Picasso w tak zwanym Bateau-Lavoir („statek--pralnia") przy place Emile-Goudeau. Dzielnica jest naprawdę urocza, jeżeli nie brać pod uwagę zgiełku na place du Tertre i przyległych uliczkach. Główną atrakcją jest kościół ◆◆ Sacré-Cœur, 500 m od placu, i roztaczający się z niego widok. Pod „butte", wokół place Pigalle i place Blanche, rozciąga się „wulgarny" Montmartre z lokalami o podejrzanej reputacji, legendarnym *Moulin Rouge* i innymi, mniej znanymi przybytkami wabiącymi turystów.

Notre Dame [U E5]

◆◆ Na Île de la Cité wznosi się najsłynniejszy kościół Paryża, budowany od 1163 r. do połowy XIV w. w stylu gotyckim. Zakrojone na szeroką skalę prace renowacyjne przeprowadzone zostały pod kierownictwem architekta Eugène'a Emmanuela Viollet-le-Duca w latach 1841–1864. Warto zwiedzić wnętrze katedry, a także wspiąć się na wieżę. Place du Parvis-Notre--Dame, latem codz. 9.00–21.00, poza sezonem 10.00–17.30.

Targowiska i hale targowe

Wyśmienite produkty regionalne to najlepsza pamiątka z wycieczki do Francji

Zakupy na targu pod gołym niebem (*marches en plein air*) w prowincjonalnym francuskim miasteczku to naprawdę duża przyjemność. Sprzedawcy oferują bogaty wybór wszystkiego, z czego słynie francuska kuchnia. Aby zagwarantować świeżość drobiu, uśmierca się go dopiero na miejscu, po uprzednim wybraniu przez klienta odpowiedniej sztuki. Oprócz regionalnych win prywatni hodowcy i pośrednicy sprzedają także warzywa, owoce, ser oraz mięsa i kiełbasy. Zwykle nie brakuje też stoisk z pieczonym kurczakiem, *paellą* lub *crêpes*, dzięki czemu można zaspokoić chwilowy głód lub zaopatrzyć się w prowiant na później. Buszowanie wśród straganów to poza tym świetna okazja do poznania regionalnego rzemiosła i rękodzielnictwa.

Niezależnie od odbywających się raz w tygodniu lub częściej targów w niemal każdym większym mieście funkcjonuje także hala targowa (*la halle*). Trudno o lepsze miejsce do

W wielu miejscowościach można odwiedzić pracownię lokalnego artysty malarza

zakupu artykułów spożywczych i lokalnych specjałów, ponieważ z praktycznych względów wszystko gromadzi się tu pod jednym dachem. Dotyczy to również ogromnych super- i hipermarketów na przedmieściach, które oferują bardzo szeroki asortyment tanich, markowych i często regionalnych produktów.

Godziny otwarcia sklepów nie podlegają we Francji prawnym ograniczeniom i dlatego są mocno zróżnicowane. W tygodniu pracuje się zazwyczaj od 9.00 do 12.30 oraz od 14.30 do 19.00 (również w soboty), przy czym piekarnie oraz sklepy z artykułami spożywczymi, papierosami i upominkami działają nawet w niedzielne przedpołudnia. W dużych miastach wielu handlowców rezygnuje także z przerwy obiadowej.

Na prowincji sklepy są zamknięte także w poniedziałki, ale w miesiącach wakacyjnych (VII, VIII) często zdarzają się wyjątki od tej reguły. Niektóre produkty regionalne (np. musztardę, miód, likiery i chleb owocowy) można znaleźć w punktach oznaczonych napisem *produits régionaux*.

23

Święta i festiwale

We Francji świętuje się nawet w najmniejszych miejscowościach

Lato obfituje we wszelakiego rodzaju festiwale i imprezy dla turystów. Nie brakuje również świąt ludowych, takich jak na przykład bretońskie pielgrzymki, święto pasterzy w Midi czy karnawał w Nicei.

Parada podczas święta narodowego

Święta państwowe

1 stycznia; Poniedziałek Wielkanocny; **1 maja**; **8 maja** (zakończenie II wojny światowej); Wniebowstąpienie Pańskie; Zielone Świątki; **14 lipca** (święto narodowe); **15 sierpnia** (Wniebowzięcie Maryi Panny); **1 listopada** (Wszystkich Świętych); **11 listopada** (zakończenie I wojny światowej); **25 grudnia**

Imprezy i festiwale

marzec/kwiecień

W okresie wielkanocnym w Arles uroczyście otwiera się sezon walki byków (*La Féria*); w lokalnych festynach biorą również udział hodowcy koni z Camargue, którzy prezentują swoje jeździeckie umiejętności.

maj

Na cześć Joanny d'Arc w Compiègne odżywa atmosfera średniowiecza (trzeci weekend miesiąca).
Jak za dawnych czasów tysiące owiec i krów pędzonych jest z St-Rémy-de--Provence na wysokogórskie pastwiska podczas *Fête de la Transhumance* (koniec miesiąca).
Zawsze duże wrażenie robi spektakularna pielgrzymka cygańska w Saintes-Maries-de-la-Mer (koniec miesiąca).
Atmosfera Hiszpanii ożywa podczas *La Féria de Pentecôte* w Nîmes, kiedy organizowane są tam walki byków.

czerwiec

Festiwal Muzyczny Touraine w Tours (koniec miesiąca).
Tradycyjny jarmark czosnkowy w Uzès (ostatni weekend miesiąca).

lipiec

Nie ma miejscowości we Francji, która nie obchodziłaby ★ święta narodowego 14 lipca.

Spektakle operowe i koncerty
z udziałem wybitnych artystów
sprawiają, że Międzynarodowy
Festiwal Muzyczny
w Aix-en-Provence cieszy się
zasłużoną sławą.
★ Festiwal Średniowiecza w Vannes
ze średniowiecznym targiem, paradami
i muzyką (połowa miesiąca).
Podczas *Estival de Paris* (od połowy
lipca do połowy września)
organizowanych jest mnóstwo
koncertów i wystaw.
Festival de Cournouaille w Quimper
(trzeci tydzień miesiąca),
z tysiącami uczestników, to największa
atrakcja w kalendarzu świąt
bretońskich.

lipiec/sierpień
Równolegle z ★ Międzynarodowym
Festiwalem Teatralnym
w Awinionie odbywa się alternatywny
Off-Festival, w którym udział
biorą również amatorzy
i początkujący artyści.

sierpień
Prawdziwie baskijska atmosfera panuje
na *Fêtes de Bayonne* (początek
miesiąca).
Muzycy i ich fani z całego świata
spotykają się na wielkim
Festiwalu Jazzowym w Marcii na
południowym zachodzie kraju
(połowa miesiąca).
Okazją do poznania folkloru alzackiego
jest wielki targ winny w Colmarze
(trzeci weekend miesiąca).
Podczas *Fête du Charolais* w Saulieu
Burgundia staje się prawdziwym rajem
gastronomicznym (trzeci weekend
miesiąca).

wrzesień
Dijon jest areną wielkiego,
międzynarodowego Festiwalu
Folklorystycznego oraz święta wina
(początek miesiąca).

wrzesień/październik
Paryskie imprezy: *Festival International
de Danse* oraz ★ *Festival d'Automne*,
to największe kulturalne wydarzenia
roku łączące teatr, koncerty, taniec
oraz wystawy artystyczne (od trzeciego
tygodnia września do początku
października).

listopad
Beaune i Clos-Vougeot to główne
ośrodki *Trois Glorieuses*, tradycyjnego
burgundzkiego święta wina (trzeci
weekend miesiąca).

listopad/grudzień
Strasburg: wspaniały targ
bożonarodzeniowy (od trzeciego
weekendu listopada).

Święto bretońskie

MUZEA

W Paryżu działa ok. 100 muzeów. Niektóre z nich, szczególnie Luwr, są wyjątkowo oblężone, więc lepiej zwiedzać je podczas *nocturnes*, to jest dni, w których działają one aż do późnego wieczora. Godziny otwarcia są tak zróżnicowane, że należy na miejscu zaopatrzyć się w przewodnik kulturalny typu *Pariscope* lub *La Semaine de Paris*. Warto polecić także zbiorczy bilet do 70 muzeów i zabytków w mieście oraz jego okolicach. Ważny przez jeden, trzy lub pięć dni, kosztuje odpowiednio 12, 24 i 36 euro. Dostępny jest w kasach muzealnych, biurach informacji turystycznej oraz na stacjach metra.

Cité des Sciences et de l'Industrie la Villette [0]

🏃 Współczesna technika otrzymała na północno-wschodnich przedmieściach miasta godną siebie świątynię. Avenue Corentin--Cariou 30A, codz. oprócz pn. 10.00– 18.00 (sb. do 19.00).

Luwr (Louvre) [U D4]

★ 🏃 To niewątpliwie obowiązkowy element wycieczki, jednak przy jednorazowej wizycie absolutnie niemożliwy do pobieżnego nawet zwiedzenia (siedem departamentów). Tłok wokół gmachu i stojącej przed nim szklanej piramidy jest zawsze ogromny, warto więc skoncentrować się tylko na konkretnym dziale bądź określonych pracach, np. na zbiorze XVIII-wiecznego malarstwa francuskiego lub przepięknym dziale sztuki starożytnego Egiptu. Cour Napoléon, www.louvre.fr, codz. oprócz wt. 9.00–18.00 (pn. i śr. do 21.45), wstęp przed 15.00 7,50 euro, po 15.00 i w sb. 5 euro.

Lista przebojów Marco Polo „Paryż i Île-de-France"

★ **Musée National Picasso**
Dzieła mistrza z wszystkich okresów jego twórczości. (s. 30)

★ **Luwr**
Zwiedzanie Luwru to obowiązkowy punkt pobytu w Paryżu. (s. 29)

★ **Wersal**
Na obejrzenie pałacu i parku należy przeznaczyć co najmniej jeden dzień. (s. 35)

★ **Chantilly**
Ekskluzywne centrum treningowe szlachetnych rumaków w pałacu księcia Kondeusza. (s. 32)

★ **Fontainebleau**
Wspaniały pałac renesansowy. (s. 33)

★ **Saint-Germain-en-Laye**
Tu Ludwik XIV odpoczywał od trudów rządzenia. (s. 34)

★ **Beauvais**
Katedra, która chciała sięgnąć niebios. (s. 32)

★ **Chartres**
Największa katedra Europy. (s. 32)

Nowatorskie rozwiązania architektoniczne Centre Georges Pompidou

Carnavalet – Musée Histoire de Paris [U F4]

Muzeum historyczne w wytwornym pałacu w dzielnicy Marais prezentuje fascynujące zbiory z okresu średniowiecza, rewolucji i historii najnowszej z licznymi odniesieniami, m.in. do postaci Napoleona, Robespierre'a i Prousta. Rue de Sévigné 23, www.paris.fr, codz. oprócz pn. 10.00–18.00.

Centre Pompidou (Musée National d'Art Moderne) [U E3]

Ośrodek kultury, informacji i rozrywki w dawnej dzielnicy targowej, ciekawy jako obiekt architektoniczny, mieści oprócz wspaniałego muzeum sztuki współczesnej także bibliotekę, centrum designerskie oraz instytut muzyki eksperymentalnej. Place Georges Pompidou, www.centrepompidou.fr, codz. oprócz wt. 11.00–22.00.

Musée National Picasso [U F4]

★ W pięknym pałacu w dzielnicy Marais wystawiono dzieła reprezentujące wszystkie fazy twórczości Pabla Picassa. Rue de Thorigny 5, www.musee-picasso.fr, codz. oprócz wt. 9.30–17.30 lub 18.00.

GASTRONOMIA

Niemal nieograniczona oferta kawiarni, bistro i restauracji jest po prostu fantastyczna. Miejsca w markowych lokalach należy koniecznie rezerwować!

Le Bistro Melrose [U C1]

To śliczne bistro kusi nie tylko znakomitą kuchnią, ale i bardzo rozsądnymi cenami. Place de Clichy 5, ☎0142936134, zamkn. w sb. wieczór, €–€€.

Brasserie Lipp [U D4]

Bardzo szacowny lokal, od pokoleń miejsce spotkań paryskich elit. Boulevard St-Germain 151, ☎0145 487293, czynne codz., €€.

La Coupole [U D4]

Ogromna, pełna gwaru i zawsze pełna – największa *brasserie* Paryża to już instytucja. Boulevard du

Montparnasse 102, ☎0143201420, czynne codz., €€–€€€.

Gallopin [U E3]

Kolejny jasny punkt w gwiazdozbiorze paryskich *brasserie*: świetne jedzenie, wspaniałe wnętrze. Szczególnie warte polecenia są dania rybne. Rue Notre-Dame-des--Victoires 40, ☎0142364538, codz. oprócz sb., €€.

Pharamond [U E4]

Bistro z kaflowymi ścianami, założone jeszcze w czasach hal targowych. Tradycyjna kuchnia normandzka. Rue de la Grande--Truanderie 24, ☎0140284518, codz. oprócz sb., €€–€€€.

NOCLEGI

Bretonnerie [U F4]

Wygodny i zadbany obiekt z ładnymi pokojami, w pobliżu ratusza i dzielnicy Marais. 29 pokoi, rue Ste-Croix-de-la-Bretonnerie 22, ☎0148877763, fax 0142772678, www.bretonnerie.com, €€€.

Ermitage [0]

Niewielki, czarujący hotelik na Montmartrze. 12 pokoi, rue Lamarck 24, ☎0142647922, fax 01426 41033, €€.

Des Grandes Écoles [U E5]

Niezwykły kompleks trzech budynków w zacisznym ogrodzie, w samym środku Dzielnicy Łacińskiej (Quartier Latin). 48 pokoi, rue du Cardinal-Lemoine 75, ☎014 3267923, fax 0143252815, €€€.

La Sanguine [U C3]

Komfort i świetna lokalizacja (między Madeleine a place de la Concorde). 31 pokoi, rue de Surène 6, ☎0142657161, fax 0142 669677, €€–€€€.

ŻYCIE NOCNE

Rewie w rodzaju *Moulin-Rouge*, *Folies-Bergère* (www.foliesbergere.com) czy *Lido* (www.lido.fr) wciąż cieszą się dużą popularnością, przy czym uważa się, że *Lido* ma najbardziej międzynarodowy charakter. Również dyskoteki i kluby nocne sprostają nawet najbardziej wygórowanym oczekiwaniom – na przykład *Le Balajo* (rue de Lappe 9) organizuje także popołudnia z tradycyjnym tańcem francuskim musette, a *La Chapelle des Lombards* (rue de Lappe 19) proponuje tańce południowoamerykańskie.

Centrum życia teatralnego jest słynna Comédie Française (rue de Richelieu 2), wystawiająca na najwyższym poziomie zarówno dzieła klasyków, jak i sztuki autorów współczesnych. Théâtre de l'Europe przy place Paul-Claudel gości na swojej scenie grupy teatralne z całej Europy.

Miłośnicy opery udają się przede wszystkim do Opéra de la Bastille (place de la Bastille 2); w starej Opéra de Paris/Salle Garnier (rue Favart 5) odbywają się obecnie przedstawienia baletowe.

INFORMACJA

Office de Tourisme et des Congrès de Paris

Avenue des Champs-Elysées 127, ☎0836683112, fax 0149525320, www.paris.touristoffice.com.

Wyczerpujące informacje o stolicy Francji można znaleźć w przewodniku *Paryż i okolice* wydawnictwa Pascal.

ÎLE-DE-FRANCE

Region zwany z racji swego położenia między czterema rzekami: Aube, Marną, Oise i Sekwaną „Wyspą Francji" jest największą aglomeracją w kraju.

Beauvais [168 A3]

★ Kto odwiedza Reims, Amiens czy Laon ze względu na znajdujące się tam katedry, nie powinien zapomnieć też o Beauvais (60 tys. mieszk.), 76 km na północ od Paryża. Tutejsza Cathédrale St-Pierre miała stać się największą gotycką świątynią Francji. Rzeczywistość okazała się jednak brutalna: ukończony w 1227 r. gmach zawalił się w roku 1284, ponieważ średniowieczni budowniczowie nad stabilność konstrukcji przedłożyli jej wysokość. 300 lat później, podczas budowy strzelistej wieży o wysokości 153 m, katastrofa się powtórzyła. Dziś można więc oglądać wysoki na 48,20 m transept z chórem, który i tak jest najwyższym gotyckim sklepieniem na świecie. Wspaniałe są także witraże i gotyckie ostrołuki; zegar astronomiczny z 1868 r., majstersztyk mechaniki, składa się z 90 tys. części.

Chantilly [168 B3]

★ Miłośnicy koni pielgrzymują do tego eleganckiego miasteczka (12 tys. mieszk.), 48 km na północ od Paryża, aby podziwiać szlachetne rumaki i ekskluzywne obiekty jednego z największych centrów treningowych koni pełnokrwistych na świecie. Atrakcją jest też Musée Vivant du Cheval (www.musee-vivant-du-cheval.fr)

ulokowane w wielkich pałacowych stajniach. Konie mają tu do dyspozycji komfortowe boksy, które w początku XVIII w. kazał zbudować książę Kondeusz (de Condé). Latem codz. oprócz wt. 10.30–18.00.

Pałac składa się z nowszego Grand Château, zniszczonego podczas rewolucji i odbudowanego w końcu XIX w., oraz starszego Petit Château (ok. 1550 r.). W Grand Château mieści się Musée Condé. Warte zobaczenia są apartamenty księcia z interesującym Cabinet des Livres oraz kaplica w Petit Château. Latem codz. oprócz wt. 10.00–18.00, poza sezonem 10.30–12.45 i 14.00–17.00, www.chateaudechantilly.com.

Chartres [168 A4]

★ Miasto (40 tys. mieszk.) kojarzy się przede wszystkim z katedrą – największą i najpiękniejszą w Europie. Budowa rozpoczęła się już w 1021 r., jednak w roku 1194 wielki pożar zniszczył konstrukcję aż po Portail Royal (Portal Królewski). Natychmiast wznowiono prace i już po 25 latach, w 1220 r., katedra została ukończona. Długość nawy głównej wynosi 130,20 m, szerokość 36,55 m, a wysokość 16,40 m. Imponujące są także słynne błękitne witraże o łącznej powierzchni niemal 3 tys. m². W nawie głównej, między trzecim a czwartym przęsłem warto zwrócić uwagę na mozaikę na posadzce z jasnych i ciemnych kamieni przypominającą labirynt. Kamienie układają się w 261,50-metrową ścieżkę w kształcie krzyża, którą dawniej pielgrzymi przebywali na kolanach, symbolizującą ziemską drogę człowieka do niebiańskiej Jerozolimy.

Przypory – charakterystyczny element gotyckich katedr

Również inne kościoły Chartres zasługują na odwiedziny: w Saint--Pierre (XII w.) w dolnej części miasta także zachowały się wspaniałe witraże. Przyjemnych wrażeń dostarcza spacer z kościoła wzdłuż rue de la Foulerie, rue de la Tannerie oraz rzeki Eure. W Musée des Beaux Arts koło katedry podziwiać można rewelacyjne dywany ścienne z Flandrii oraz obrazy artystów włoskich i francuskich.

Compiègne [168 B3]

Wycieczka do Compiègne (70 tys. mieszk.), 75 km na północ od Paryża, nie powinna się ograniczyć jedynie do pobliskiego lasu, gdzie na polanie Clairière de l'Armistice wznosi się budynek z kopią wagonu osobowego marszałka Focha (codz. oprócz wt.). W wagonie tym podpisano w 1918 r. zawieszenie broni kończące I wojnę światową oraz zawieszenie broni po niemieckiej inwazji na Francję w roku 1940. Zwiedzić warto jednak również bogato wyposażony pałac, zbudowany w latach 1715–1788 (oprowadzanie codz. oprócz wt.) oraz Musée de la Voiture z kolekcją starych automobili i karoc w północnym skrzydle pałacu (www.musee-chateau-compiegne.fr).

Écouen [168 B3]

Główną atrakcją Écouen, ok. 20 km na północ od centrum Paryża, jest imponujący zamek. Wpływowy doradca Franciszka I i dowódca wojskowy Anne de Montmorency kazał tu w latach 1538–1555 zbudować swoją bogato wyposażoną rezydencję. Książęce apartamenty mieszczą dziś muzeum (Musée National de la Renaissance, www.musee-renaissance.fr). Zgromadzone w nim gobeliny, ceramika, rzeźba i malarstwo pochodzą częściowo także z innych obiektów. Szczególnie piękna jest zamkowa kaplica z galerią, której sklepienie zdobi herb rodu Montmorency. Codz. oprócz wt. 9.00–12.30 oraz 14.00–17.15.

Fontainebleau [168 B4]

★ Największym skarbem tego położonego 65 km na południe od Paryża miasta (16 tys. mieszk.) jest wspaniały renesansowy zamek (www.musee-chateau-fontainebleau.fr), który jako królewska rezydencja niemal dorównuje świetnością Wersalowi, ale nie jest nawet po części tak oblężony przez turystów. Od momentu, gdy Franciszek I sprowadził do budowy rezydencji włoskich artystów i rzemieślników, każdy następny monarcha aż po Napoleona I wzbogacał budowlę o nowe elementy. Warte uwagi są zbiory Musée Napoléon, a także przepiękne, zaprojektowane przez André Le Nôtre'a z iście królewskim rozmachem ogrody (codz. oprócz wt. 9.30–17.00 lub 18.00). Chwile relaksu zapewni przechadzka po Forêt de Fontainebleau (250 km²), w którym paryżanie chętnie spacerują, jeżdżą na rowerach, uprawiają jogging bądź jeździectwo.

Saint-Denis [168 B3]

Przemysłowe przedmieście (90 tys. mieszk.) na północy Paryża ma dwa architektoniczne atuty: ultranowoczesny, gigantyczny obiekt piłkarski Stade de France oraz gotycką bazylikę z grobowcami większości królów Francji. Warto dokładniej opisać przede wszystkim ten ostatni: ta pierwsza gotycka katedra (1135 r.) stała się wzorem dla wielu późniejszych, m.in. dla świątyni w Chartres. W St-Denis pochowano około 800 osobistości, wśród których są królowie, królowe, ich dzieci, bliscy krewni i niektórzy dworzanie. W początkach XIX w. do St-Denis przeniesiono szczątki merowińskich królów: Chlodwiga I (zm. 511 r.) oraz jego syna Childeberta I (zm. 558 r.). W okresie renesansu nagrobki przybrały formę bogatych, dwupiętrowych pomników, jak choćby grobowiec Ludwika XII i Anny Bretońskiej, Franciszka I czy Henryka II i Katarzyny Medycejskiej. Przy kasie warto wypożyczyć słuchawki z nagranym głosem przewodnika (*audioguide*). Latem codz. 10.00–19.00, poza sezonem 10.00–17.00.

Saint-Germain-en-Laye [168 A4]

★ W pałacu zbudowanym 22 km na zachód od Paryża Król-Słońce odpoczywał od codziennych obowiązków. Samo miasto (40 tys. mieszk.) również ma królewski rozmach, ponieważ liczni dworzanie podążający za swym władcą budowali tu własne, luksusowe domostwa. Pałac, rezydencja królewska od XII do XVII w., to prawdziwy skarbiec. W mieszczącym się w nim Musée des Antiquités (www.musee-antiquitesnationales.fr) zgromadzono dzieła sztuki od epoki kamiennej aż po współczesność. Do urokliwego spaceru zachęca pałacowy park oraz taras o długości 2,4 km. Codz. oprócz wt. 9.00–17.15.

Senlis [168 B3]

Do tego niedużego miasta (17 tys. mieszk.), 51 km na północ od Paryża, warto wstąpić, by obejrzeć jeden z pierwszych kościołów gotyckich. Budowę wielkiej katedry Notre Dame rozpoczęto w 1153 r., w roku 1503 świątynię strawił pożar, ale w latach 1513–1560 została gruntownie odbudowana. Szczególnie piękny jest ozdobiony płaskorzeźbami portal główny oraz romańska kaplica St-Sacrément z XV-wiecznymi freskami. Nastrojowa atmosfera panuje w średniowiecznych uliczkach na południe od katedry, zabudowanych charakterystycznymi domami z czasów Walezjuszy (XIV–XVI w.), kiedy to Senlis było królewską rezydencją. Wznoszący się ponad miasteczkiem Château Royal stoi na miejscu dawnej twierdzy merowińskiego króla Chlodwiga. Interesujące są też zbiory Musée d'art et d'Archéologie w pałacu biskupim w zamkowych ogrodach (śr.–pn. 10.00–12.00 oraz 14.00–18.00).

Vaux-le-Vicomte [168 B4]

Miejscowość, 64 km na południowy wschód od Paryża, koło Melun, cieszy się sławą jednego z najwspanialszych we Francji zespołów pałacowo-ogrodowych. Nicolas Fouquet, minister skarbu Ludwika XIV, owładnięty manią wielkości zlecił w 1656 r. największym architektom swoich czasów – Louisowi Le Vau, Charles'owi Le Brunowi oraz André Le Nôtre'owi – budowę pałacu z założeniem ogrodowym. Kiedy Król-Słońce podczas urządzonej tu na jego cześć uroczystości ujrzał efekt ich prac, przyćmiewający wszystko, co do tej pory zbudowano, poczuł się do głębi urażony i kazał uwięzić swojego ministra. Przebogate wnętrze pałacu, który swojego fundatora kosztował głowę, również w niczym nie ustępuje nawet Wersalowi. V–XI codz. 10.00–18.00, www.vaux-le-vicomte.com.

Wersal [168 A4]

★ Wycieczka do Wersalu (Versailles, 23 km na południowy zachód od Paryża) jest nieodłącznym elementem każdej wizyty w stolicy Francji. Od roku 1682 do rewolucji francuskiej w 1789 r. była to siedziba władzy i polityczne centrum kraju. Kiedy w roku 1715 zmarł inicjator jego budowy, Ludwik XIV, rezydencja, choć nieukończona, zdążyła już pochłonąć ogromne sumy i zrujnować finanse państwa. Około 30 tys. robotników wcielało w życie plany architekta Louisa Le Vau i jego następcy, Jules'a Harduouina-Mansarta. Za pełne przepychu wnętrza odpowiedzialny był Charles Le Brun, a założenia parkowe i krajobrazowe o fanta-stycznych formach stworzył architekt krajobrazu André Le Nôtre. W pałacu, którego fasada ma długość 580 m, zwiedzać można między innymi Grand Appartement du Roi, Appartement de la Reine, Salle du Trône i Galerie des Glaces (słynna Sala Lustrzana) – codz. oprócz pn. V–IX 9.00–18.30, poza sezonem 9.00–17.30, sb. i nd. 10.00–17.00. Parku i ogrodów, ze względu na ich ogrom, nie da się w zasadzie obejrzeć w całości – sam Grand Canal liczy sobie 1,6 km długości. Za to od maja do października, zarówno w dzień, jak i w nocy, turyści mają sposobność podziwiać wyjątkowy spektakl wodno-świetlny w rytm muzyki barokowej – „tańczące fontanny (www.chateauversailles-spectacles.fr). Aby odpocząć od życia dworskiego, Ludwik XIV skrywał się w odległym o 1,5 km Grand Trianon. Maria Antonina większą sympatią darzyła z kolei Petit Trianon, gdzie stworzyła wiejsko-idylliczny kompleks Hameau de la Reine.

Tylko w MARCO POLO

Imponujące fontanny w ogrodach Wersalu

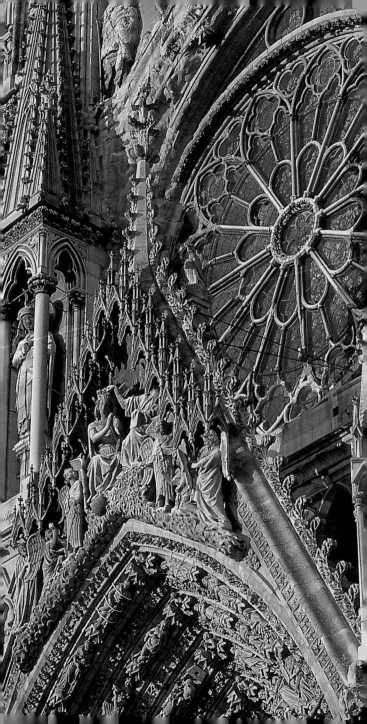

Wielkie lasy, szampan i pruski mur

Z Alzacji, przez Lotaryngię i Szampanię, do Franche-Comté

Katedra i siedziba Rady Europy w Strasburgu, winiarnie w uroczych wsiach z charakterystycznym pruskim murem, porośnięte winoroślą zbocza i Wogezy – to tylko niektóre z atrakcji oferowanych przez Alzację (Alsace), której historia była niezwykle burzliwa.

Winnice w Szampanii

Po klęsce Francji w latach 1870–1871 Alzacja wraz z Lotaryngią została zaanektowana przez Niemcy; w roku 1918 prowincje ponownie przeszły w ręce francuskie, a podczas II wojny światowej jeszcze raz stały się obiektem niemieckiej aneksji. Dziś Alzacja – kraina historyczna i region administracyjny o wyjątkowych walorach turystycznych – od północy i wschodu graniczy z Niemcami, od południa ze Szwajcarią i regionem Franche-Comté, a od wschodu z Lotaryngią.

W przeciwieństwie do Alzacji Lotaryngia (Lorraine) nie cieszy się turystyczną sławą – zupełnie niezasłużenie. Metz i Nancy to bardzo interesujące miasta, a na północy regionu zbocza Wogezów porośnięte są gęstymi lasami. Przechodzą one potem w ciemne bory Ardenów

Katedra Notre Dame w Reims: majstersztyk gotyckiej sztuki budowlanej

oraz północnej części Szampanii. Wokół Reims i Épernay rozciągają się plantacje winorośli, z których owoców powstają najlepsze szampany świata. Troyes, stara stolica Szampanii, z katedrą i średniowieczną, pieczołowicie odrestaurowaną starówką, to wśród francuskich miast prawdziwa perła.

Mieszkańcy pogranicznego Franche-Comté znani są ze swojego silnego poczucia odrębności. Ziemie te zostały włączone do Francji dopiero w 1678 r. Lokalnej specyfiki trudno będzie jednak doszukać się w stolicy regionu, Besançon, dużym ośrodku przemysłowym, handlowym i kulturalnym. Bardziej interesujące może okazać się odkrywanie odciętych od świata, romantycznych i dzikich lasów, pasterskich wyżyn i jezior – od obszaru położonego na wschód od żyznej równiny Saône aż po Jurę.

ARC-ET-SENANS

[169 D6] Jedyna we Franche-
-Comté próba stworzenia miasta
idealnego nie została co prawda
nigdy doprowadzona do końca,
ale klasycystyczny zespół urbani-
styczny wybudowany po 1771 r.
wokół królewskich salin według
planów Claude'a-Nicolasa Ledoux
i tak jest fascynujący. W środku
geometrycznie rozplanowanej
osady znalazła się warzelnia soli,
wokół której w kilku koncen-
trycznych kręgach skupiać się
miały domy mieszkalne, sklepy,
łaźnie i kościoły. Dla głównego
inwestora, Ludwika XV, projekt
stał się jednak w pewnym mo-
mencie po prostu zbyt drogi. Kiedy zatem wydobywanie soli za-
kończono, plany realizacji idealnego miasta powędrowały na
zawsze do archiwum. Pieczołowicie odrestaurowany kompleks
ze ściśle symetrycznie rozmiesz-
czonymi budynkami warzelni
i przypominającym pałac domem
dyrektora zakładu mieści obecnie
muzeum (VII–VIII codz. 9.00–
19.00, przed i po sezonie 9.00–
12.00 i 14.00–18.00, zimą 10.00–
12.00 i 14.00–17.00). Godne polecenia są hotel i restauracja *Relais*,
10 pokoi, place de l'Église, ☎0381
574060, fax 0381574617, €.

BELFORT

[169 E5] Symbolem tego miasta
(50,5 tys. mieszk.) leżącego we
Franche-Comté jest monumental-
ny posąg lwa (22 m długości, 11 m
wysokości), wykuty w czerwonym piaskowcu w latach 1875–
1880 przez Frédérica Bartholdiego
(autora nowojorskiej Statui Wolności). Do rzeźby można się dostać z Porte de Brisach. Belfort,
miasto graniczne, wciąż nosi ślady trzykrotnego oblężenia w latach 1814, 1815 i 1870. Środek starówki zajmuje Place d'Armes z po-
mnikiem *Quand même*. Lokalizacja
w centrum i miła atmosfera to
atuty hotelu *Les Capucins*, 35 pokoi, Porte de Montbeliard 20,
☎0384280460, fax 0384550092,
€€. Atrakcją pobliskiego Ronchamp,
21 km na północny wschód od
Belfortu, jest wspaniały kościół
Notre Dame du Haut zaprojektowany przez Le Corbusiera.

BESANÇON

[169 E6] Ta malowniczo położona
u północno-zachodnich krańców
Jury stolica regionu (120 tys.
mieszk.) w przeszłości była ważną
strategicznie twierdzą. Jej początki sięgają czasów rzymskich. Najlepszy widok na miasto rozciąga
się z ◁▷ Fort Chaudanne (419 m).
Główna ulica uroczej starówki to
Grande Rue. Porte Noire, łuk
triumfalny z czasów cesarza Mar-
ka Aureliusza (164 r.), prowadzi do
katedry (wartościowe obrazy, zegar astronomiczny). W Musée des
Beaux-Arts, na północny zachód
od Place du 8 Septembre, zgromadzono między innymi interesującą
kolekcję zegarków, a także cenne
zbiory malarstwa i egipskie sarko-
fagi (codz. oprócz wt. 9.30–12.00
i 14.00–18.00). W centrum zaprasza bardzo wygodny hotel *Castan
Relais*, 10 pokoi, square Castan 6,
☎0381650200, fax 0381830102,
€€€.

CHÂLONS-EN--CHAMPAGNE

[168 C3] Położona pośród nizin Szampanii stolica departamentu Marne (60 tys. mieszk.) warta jest odwiedzin choćby ze względu na XIII-wieczną katedrę (cenne witraże z XIII–XVI w.) oraz wczesnogotycki kościół Notre-Dame-en-Vaux, jeden z najciekawszych w Szampanii. Musée du Cloître de Notre-Dame, na północ od kościoła, prezentuje wspaniale wykonane rzeźbiarskie elementy architektoniczne, m.in. posągi i kapitele kolumn (codz. oprócz wt. 10.00–12.00 i 14.00–17.00). Posilić się można w ładnej *Restaurant Pré St-Alpin*, rue Abbé Lambert 2 bis, ☎0326702026, sb. wieczór zamkn., €, a przenocować – w przyjemnym *Hôtel Renard*, 35 pokoi, place République 24, ☎0326 680378, fax 0326645007, €–€€.

METZ

[169 E3] ★ Największe miasto Lotaryngii (ok. 125 tys. mieszk.) ma dzięki swojej historii, gęsto zabudowanej dzielnicy staromiejskiej, malowniczemu centrum nad Mozelą oraz dynamicznej, niemal wielkomiejskiej atmosferze naprawdę wiele do zaoferowania. Na pięknym place d'Armes wznosi się wielka, gotycka katedra St-Étienne, zbudowana w latach 1250–1380 z żółtego piaskowca. Wnętrze o wysokości 42 m rozświetlane jest przez zdobione pięknymi witrażami okna. W lewej nawie bocznej i po lewej stronie obejścia chóru znajdują się trzy witraże autorstwa Marca Chagalla (1960 r.). Bogato wyposażone Musée la Cour d'Or, na północny wschód od placu, przy rue Chèremont, prezentuje zbiory średniowiecznej rzeźby i dzieła dawnych mistrzów

---

Lista przebojów Marco Polo ●
„Francja wschodnia"

★ **Nancy**
Przykład triumfu XVIII-wiecznej sztuki budowlanej. (s. 40)

★ **Obernai**
Sielska atmosfera średniowiecznego miasteczka na szlaku winnym. (s. 45)

★ **Riquewihr**
Cudowne miejsce na spacer śladami historii. (s. 45)

★ **Strasburg**
Siedziba Rady Europy – zabytki najwyższej klasy

i wyśmienita oferta kulinarna. (s. 42)

★ **Colmar**
Prawdziwy skarbiec sztuki. (s. 44)

★ **Metz**
Liczne atrakcje miasta dla wielu wciąż pozostają nieznane. (s. 39)

★ **Troyes**
Wspaniała katedra i urocze domy z pruskiego muru. (s. 46)

Ukwiecony plac na starówce Metzu

(codz. 10.00–12.00 i 14.00–18.00). Godne polecenia są restauracja *L'Asiette du Bistrot*, rue Faisan 9, ☎0387370644, sb. zamkn., €, oraz hotel *Royal Bleu Marine*, 62 pokoje, avenue Foch 23, ☎0387668111, fax 0387561316, €€–€€€.

Miluza

[169 F5] Mogłoby się wydawać, że Miluza (fr. Mulhouse, niem. Mühlhausen, ok. 110 tys. mieszk.) to nieciekawy, mocno uprzemysłowiony ośrodek, który po prostu mija się, jadąc autostradą na południe. Tymczasem odwiedzenie miasta jest jak najbardziej uzasadnione, przede wszystkim ze względu na liczne, najwyższej klasy muzea, świadczące o jego wspaniałej historii. Musée National de l'Automobile – Collection Schlumpf, avenue de Colmar 129, codz. 10.00–17.00, prezentuje wspaniałą kolekcję 600 luksusowych karet. W Musée de l'Impression sur Ètoffes, rue Jean-Jacques Henner 14, codz. 10.00–

18.00, można podziwiać około 10 mln wzorów tkanin drukowanych, produkcji krajowej i zagranicznej. Miłośnicy kolei udadzą się do Musée Français du Chemin de Fer, rue Alfred de Glehn 2, codz. 9.00–17.00 lub 18.00. Nowatorski koncept zrealizowano w muzeum elektryczności Electropolis, rue de Paturage 5, latem codz., poza sezonem oprócz pn. 10.00–18.00. Musée du Papier Peint z zachwycającą, prawdopodobnie największą na świecie kolekcją tapet mieści się w Rixheim (6 km na wschód od Miluzy). Restauracja *Zum Sauwadala*, rue de l'Arsenal 13, ☎03894 51819, €, oferuje tradycyjne potrawy alzackie.

Nancy

[169 E4] ★ Dystyngowana stolica Lotaryngii (ok. 100 tys. mieszk.) szczyci się najwspanialszym i najbardziej spójnym XVIII-wiecznym kompleksem architektonicznym w całej Francji.

Elegancki place Stanislas z pięcioma wspaniałymi pałacami, dwukondygnacyjną galerią, pozłacanym ogrodzeniem i fontannami wytyczony został w latach 1751–1755 według planów Emmanuela Héré de Corny'ego, nadwornego architekta Stanisława Leszczyńskiego. Łuk triumfalny wiedzie stamtąd ku place de la Carrière z dwoma pałacami z lat 1715 i 1753 oraz szeregiem kamienic. Interesujące zbiory prezentuje Musée Lorraine w Palais Ducal na Starym Mieście, codz. oprócz wt. 10.00–18.00. Wartościowe jest także poświęcone secesji Musée de l'École de Nancy, rue du Sergeant-Blandan 36, śr.–nd. 10.30–18.00. W jednym z miejskich pałaców mieści się *Hôtel de la Reine*, 44 pokoje, place Stanislas 2, ☎0383350301, fax 0383328604, €€€. Umiarkowane ceny to atut *Hôtel de Guise* na Starym Mieście, 45 pokoi, rue Guise 18, ☎03833 22468, fax 0383357563, €–€€.

Reims

[168 C3] ★ Centralny punkt tego leżącego w Szampanii dawnego miasta koronacyjnego (170 tys. mieszk.) to katedra Notre Dame. Świątynia, wzniesiona w latach 1211–1294, należy do najcenniejszych zabytków we Francji. Budynek jest bogato zdobiony rzeźbami figuralnymi, m.in. posągiem śmiejącego się anioła (*ange au sourire*) w lewym portalu; we wnętrzu, na zachodniej ścianie można podziwiać kolejnych 120 figur. Pałac biskupi obok katedry skrywa wspaniałe skarby kościelne, m.in. talizman Karola Wielkiego.

Inna turystyczna atrakcja to wczesnoromańska bazylika St-Rémi, na południe od centrum. Do odwiedzin w swych piwnicach i zakupów zachęcają także wszyscy słynni producenci szampanów (południowy wschód od centrum; dokładnych informacji udziela Office de Tourisme). Wygodny nocleg oferuje hotel *La Paix*, 106 pokoi, rue Buirette 9, ☎0326400408, fax 0326477504, €€–€€€, a po prostu bajecznie jest w pałacyku *Les Crayères* i trzygwiazdkowej restauracji, prowadzonych przez Gérarda i Elyane Boyer (16 pokoi, boulevard Vasnier 64, ☎0326 828080, fax 0326826552, wt. w porze południowej i śr. restauracja zamkn., €€€). 50 km na południe od Reims leży śliczna wieś Hautvillers. To tutaj w końcu XVII w.

Place Stanislas w Nancy

mnich Dom Pérignon opracował recepturę musowanego wina – *méthode champenoise*. Pozostałości opactwa Benedyktynów, w którym mieszkał, należą do rodziny Moët et Chandon.

STRASBURG

[169 F4] ★ Strasburg (Strasbourg, 264 tys. mieszk.) to zarówno duchowa, jak i gospodarcza metropolia Alzacji oraz Europy. Od 1949 r. ma tu swoją siedzibę Rada Europy, do której należą obecnie 43 państwa, a co dwa lata w nowym gmachu zbiera się Parlament Europejski. Średniowieczne centrum otoczone jest nowoczesną architekturą, co podkreśla kosmopolityczną atmosferę miasta. Pierwszym miejscem, do którego kierują swe kroki turyści, jest oczywiście katedra, ale warto gorąco polecić także spacer po śródmiejskiej wyspie i jej licznych mostach oraz po kwartale Petite France zabudowanym domami z pruskiego muru. Strasburg – co typowe dla Alzacji – szczyci się wyśmienitą ofertą gastronomiczną i już choćby z tego powodu godzien jest odwiedzin. Z tego miejsca rozpoczyna się biegnący na południe szlak winny, łączący zabudowane domkami z pruskiego muru osady, gościnne zajazdy, winiarnie, historyczne miasteczka i zamki.

ZWIEDZANIE

Stare Miasto

Starówkę warto zwiedzić na piechotę. Spacer po wyłączonej z ruchu samochodowego La Petite France, dawnej dzielnicy garbarzy, umożliwia spokojną kontemplację średniowiecznej architektury. Poza katedrą znajduje się tu także szereg słynnych restauracji, m.in. *Maison Kammerzell* i *Au Crocodile*.

Cathédrale Notre-Dame

Katedra w Strasburgu uznawana jest za jedną z najpiękniejszych budowli sakralnych i wybitny przykład gotyku niemieckiego. Chór i północna część transeptu pochodzą jeszcze z czasów romańskich (XII w.). Imponująca fasada zachodnia stworzona została w latach 1277–1318 przez mistrza Erwina von Steinbacha, ośmiokątna wieża północna przez Ulricha von Ensingena z Ulm (1399–1419), a hełm mierzącej 142 m wieży jest dziełem Johannesa Hültza (1420–1439). We wnętrzu (103 m długości, 41 m szerokości, 31,5 m wysokości) oprócz witraży (XII–XV w.) i Filaru Aniołów w południowej części transeptu uwagę zwraca także zegar astronomiczny z lat 1838–1842. Wspaniały jest również widok roztaczający się z wieży.

Église Saint-Thomas

Protestancki kościół św. Tomasza, wybudowany w latach 1230–1330, jest jedyną świątynią halową w Alzacji. Alegoryczna rzeźba z marmuru autorstwa Jeana-Baptiste'a Pigalle'a zdobi grobowiec marszałka Francji, Maurycego Saskiego. Place St-Thomas.

Palais de l'Europe

Parlament Europejski obraduje w budynku z 1975 r., zaprojektowanym przez Henry'ego Bernarda. W tym samym miejscu trzy razy do roku spotyka się także Rada Europy (zwiedzanie jedynie w grupach). Za Pałacem Europy znajduje się nowoczesny gmach Pałacu Praw Człowieka, a po drugiej stronie rzeki Ill wznosi się kompleks otwartego w 1999 r. Parlament Européen.

MUZEA

Musée Alsacien, quai St-Nicolas 23, codz. oprócz wt. 10.00–18.00, mieści się w trzech domach z pruskiego muru i prezentuje alzackie tradycje oraz sztukę ludową. W Musée d'art Moderne et Contemporain, place du Château 5, codz. oprócz pn. 11.00–19.00, cz. 12.00–22.00, obejrzeć można znakomite zbiory dzieł wielkich malarzy – od Hansa Arpa po Edouarda Vuillarda. W Château de Rohan działają aż trzy bardzo dobre muzea: Musée Archéologique, Musée des Arts Décoratifs oraz Musée des Beaux--Arts, place du Châteu 2, codz. oprócz wt. 10.00–18.00. W Musée

de l'Œuvre de Notre-Dame, place du Château, codz. oprócz pn. 10.00–18.00, prezentowana jest sztuka średniowieczna (m.in. przeniesione z katedry romańskie i gotyckie rzeźby).

GASTRONOMIA

Chaîne d'Or
Tylko w MARCO POLO

Alzackie rozkosze stołu w perfekcyjnym wykonaniu i tradycyjnej oprawie. Grand Rue 134, ☎038875 0269, czynne codz., €€.

Au Crocodile

Restauracja najwyższej klasy, która kusi wyszukanymi specjałami (m.in. drobno posiekana gęsia wątróbka zasmażana z confit z gęsi oraz grasica cielęca w cieście). Rue Outre 10, ☎0388321302, nd.–pn. zamkn., €€€.

Maison Kammerzell

Staroalzacka restauracja w zabytkowym budynku koło katedry. Place de la Cathédrale 16, ☎03883 24214, czynne codz., €€–€€€.

Futuryzm czy wizjonerstwo? Pałac Praw Człowieka w Strasburgu

Couvent du Franciscain

Komfortowy hotel w samym sercu miasta. Parking, bez restauracji. 43 pokoje, rue Faubourg de Pierre 18, ☎0388329393, fax 0388756846, www.hotel-franciscain.com, €.

Europe

Stylowe alzackie wnętrza tworzą niezwykłą atmosferę tego staromiejskiego hotelu. 60 pokoi, rue Fossés des Tanneurs 38, ☎03883 21788, fax 0388756545, www.hotel-europe.com, €€.

Gutenberg

Położony w centrum miasta hotel o wysokim standardzie. 42 pokoje, rue des Serruriers 31, ☎03883 21715, fax 0388757667, www.hotel-gutenberg.com, €€.

Wieczorami ożywają pełne gwaru winiarnie – m.in. *Pfifferbrieder* przy place du Marché aux Cochons de Lait lub *Winstub Zum Strissel* przy Place de la Grande Boucherie. *Le Trou*, rue des Couples 5, to świetne miejsce dla miłośników złocistego trunku (w ofercie niemal 150 gatunków piwa). Renomowany *Kafteur*, rue Thiergarten 3, łączy w sobie cechy kawiarni i teatru. Oprócz tego amatorzy życia nocnego mają do dyspozycji liczne bary i ponad tuzin dyskotek.

Tylko w MARCO POLO

Office de Tourisme et Bureaux d'Accueil

Place de la Cathédrale 17, ☎0388 522828, fax 0388522829; place de la Gare, ☎0388325149; Pont de l'Europe, ☎0388613923; www.ots-strasbourg.fr.

Szlak winny (*route du vin*, ok. 210 km długości) wiedzie wzdłuż zachodniej granicy Wogezów przez stare wioski i miasteczka; liczne zamki i wzniesienia zachęcają do wypadów po okolicy.

Colmar   [169 F5]

★ W trzecim co do wielkości mieście Alzacji (90 tys. mieszk., 65 km na południe od Strasburga) wspaniała przeszłość i teraźniejszość łączą się w harmonijną całość. Dzięki starannie zaprojektowanemu oświetleniu Stare Miasto okrywa się w piątkowe i sobotnie wieczory magiczną poświatą. Cenną kolekcję malarstwa (m.in. słynny *Ołtarz z Isenheim* autorstwa Matthiasa Grünewalda oraz dzieła dawnych artystów niemieckich), a także zbiory alzackiej sztuki ludowej prezentuje Musée d'Unterlinden, IV–X codz. 9.00–18.00, pozostałe miesiące codz. oprócz wt. 9.00–12.00, 14.00–17.00. Pięknym przykładem architektury gotyckiej jest kościół Dominikanów, rue des Serruriers, codz. 10.00–13.00 i 15.00–18.00, w którym znajduje się znany obraz Martina Schongauera *Madonna w ogrodzie różanym*. Jeden z najwspanialszych budynków na Starym Mieście to Maison Pfister, rue des Marchands. Okna i wykusze Maison des Têtes (1609 r.) zdobione są setką rzeźbionych głów; we wnętrzu budynku zaprasza restauracja (rue des Têtes 19, ☎0389244343, pn., wt., śr. w porze południowej i nd. wieczorem

Rue des Marchands w Colmar: wielobarwny zgiełk wśród historycznych dekoracji

zamkn., €€–€€€). Noclegi oferuje hotel *Le Maréchal* w kwartale Petite Venise, 30 pokoi, place des Six-Montagnes-Noires 4–6, ☎0389 416032, fax 0389245940, €€–€€€, a także *Hôtel du Ladhof*, 20 pokoi, rue Ladhof 198, ☎03894 10978, fax 0389230814, €–€€.

Eguisheim [169 F5]

To malownicze, niewielkie (1,5 tys. mieszk.) miasteczko w pobliżu Colmaru znane jest ze swoich sięgających XVI w. tradycji winiarskich. W centrum miejscowości znajduje się niezwykły, ośmiokątny zespół zamkowy – rodowa siedziba hrabiów von Egisheim. Na okolicznych wzgórzach wznoszą się ruiny zamku Hohenegisheim oraz Dreienegisheim z aż trzema wieżami (Trois Châteaux). Smakosze jadają w restauracji *Le Caveau d'Eguisheim*, place Château 3, ☎0389410889, pn. i wt. zamkn., €€.

Haut-Kœnigsbourg [169 F4]

Królewska twierdza (40 km na południe od Strasburga), zniszczona przez Szwedów w 1633 r., odbudowana została w 1901 r. z polecenia cesarza Niemiec Wilhelma II. Rezultat jest kontrowersyjny, lecz wart zobaczenia. Latem codz. 9.00–18.30 (duży tłok), poza sezonem 13.00–17.30, www.haut-koenigsbourg.net.

Obernai (Oberehnheim) [169 F4]

★ Średniowieczne miasteczko Obernai (9,5 tys. mieszk., 25 km na południowy zachód od Strasburga) to jedno z najpiękniejszych miejsc na winnym szlaku. Koniecznie trzeba zobaczyć mury obronne, gęsto zabudowany rynek, piękną fontannę, halę targową z 1554 r. (obecnie muzeum), kościół Sts-Pierre-et-Paul oraz kaplicę z imponującą wieżą.

Riquewihr [169 F5]

★ 1200 mieszkańców miasteczka położonego na krańcach Wogezów, 60 km na południowy zachód od Strasburga, we wzorowy sposób dba o zachowanie jego średniowiecznego charakteru. Samochody nie mają tu prawa wjazdu. Za murami i bramami miejskimi tłoczą się domki z malowniczymi podwórkami; główne atrakcje to zamek hrabiów von Württemberg-Mömpelgard, Baszta Złodziei z izbą tortur i XVI-wieczna fontanna (Sinnbrunnen). W starej wieży bramnej Dolder urządzono muzeum regionalne (codz. oprócz wt. 10.00–17.30, zimą tylko w weekendy). W pobliskiej wsi Kayserberg urodził się Albert Schweitzer, laureat Pokojowej Nagrody Nobla z 1952 r. Jego rodzinny dom mieści dziś muzeum. Rue de Général-de--Gaulle 126, V–X codz. 9.00–12.00 i 14.00–18.00.

Sainte-Odile [169 F4]

Założony przez św. Otylię na wzgórzu Odilienberg (763 m n.p.m.) klasztor, 30 km na południowy zachód od Strasburga, do dziś jest bardzo popularnym sanktuarium. Grób zmarłej w 720 r. patronki Alzacji znajduje się w kaplicy.

Sélestat [169 F4]

Pośród średniowiecznych staromiejskich uliczek można odnieść wrażenie, że czas się zatrzymał. Położone 45 km na południe od Strasburga miasto (15,5 tys. mieszk.) było przed wiekami centrum europejskiego życia duchowego. W czasach rozkwitu idei humanistycznych, w poł. XV w., wielką sławę zyskała tutejsza szkoła łacińska. Obok kościoła Ste--Foy, obszernej późnoromańskiej budowli z bogatą ornamentyką, warto obejrzeć także gotycką ka-

tedrę St-Georges i Bibliothèque Humaniste z cennymi manuskryptami, rue de la Bibliothèque 1, codz. oprócz wt. 9.00–12.00 i 14.00–18.00, sb.i nd. do 17.00. *Auberge de l'Ill*, prowadzona przez rodzinę Haeberlin, ☎0389718900, pn. i wt. zamkn., €€€, 13 km na południe od Schlettstadt, jest najsłynniejszą gospodą w Alzacji.

Wissembourg [169 F3]

Typowo alzackie miasteczko (10 tys. mieszk.), 64 km na północ od Strasburga, urzeka ukwieconymi promenadami, starymi murami miejskimi i czerwonymi dachami. Warto przespacerować się nad rzeką Lauter, gdzie przy quai Anselmann w dzielnicy Bruch wznoszą się piękne renesansowe domy. Szczególnie interesujący jest Maison de Sel z 1450 r. z potężnym, stromym dachem i Hôpital Stanislas, gdzie schronienie znalazł zdetronizowany król Polski Stanisław Leszczyński oraz jego córka Maria, która dzięki małżeństwu z Ludwikiem XV uzyskała godność królowej Francji. St-Pierre-et-St-Paul to obok katedry w Strasburgu jedyny gotycki kościół w Alzacji. W Musée Westercamp, na północy miasta, zgromadzono znakomity zbiór mebli i sztuki ludowej (codz. oprócz wt. 10.00–12.00 i 14.00–18.00). Wiele uroku ma hotel *La Couronne*, 18 pokoi, place de la République 12, ☎0388941400, fax 0388941427, www. couronne-wissembourg.com, €€.

Troyes

[168 C4] ★ Oprócz katedry Sts--Pierre-et-Paul z 1208 r. z pięknymi, wielobarwnymi witrażami o łącznej powierzchni 1,5 tys. m², uchodzące za drugą stolicę Szampanii Troyes może poszczycić się także wspaniałą staromiejską zabudową z pruskiego muru. Musée d'Art Moderne, codz. oprócz pn. 11.00–18.00, prezentuje znakomitą kolekcję prac fowistów, m.in. Georges'a Braque'a, Henriego Matisse'a, Raoula Dufy'ego i André Deraina. Kto zatrzyma się w hotelu (z restauracją) *La Poste*, 29 pokoi, rue Émile Zola 35, ☎0325730505, fax 0325738076, €€€, nie będzie żałował wyboru.

VERDUN

[169 D3] Nazwa tego lotaryńskiego miasta na zawsze będzie już kojarzyć się ze straszliwymi zmaganiami z czasów I wojny światowej, które po francuskiej i niemieckiej stronie pochłonęły łącznie ponad 800 tys. ofiar i przeszły do historii jako „piekło Verdun". Próba przełamania obrony francu-

skiej, rozpoczęta przez Niemców 21 lutego 1916 r., załamała się ostatecznie na francuskiej kontrofensywie w październiku. Warto poświęcić trochę czasu na zwiedzenie Monument à la Victoire z 1929 r. (Wielkanoc–poł. XI codz. 9.00–12.00 i 14.00–18.00), wyświęconej w 1147 r. katedry Notre Dame na staromiejskim pagórku oraz usytuowanej na zachód Citadelle Souterraine z głęboko wykutymi w skale korytarzami (codz. IV–VI 9.00–17.30, w sezonie 9.00–18.00, poza sezonem 9.00–12.00 i 14.00–17.30). Godna polecenia jest *Hostellerie Le Coq Hardi*, 33 pokoje, avenue Victoire 8, ☎0329863636, fax 0329860921, €€.

Pola bitewne leżą około 10 km na północny wschód od miasta, na prawym i lewym brzegu Mozy. Znajdują się tu m.in. Fort de Douaumont, miejsce pamięci (Ossuaire), 15 tys. mogił oraz Fort de Vaux. IV–IX codz. 10.00–18.00 lub 19.00, przed sezonem 10.00–13.00 i 14.00–17.00, po sezonie 10.30–13.00 i 14.00–17.00.

Miejsce pamięci w Fort de Douaumont na polach bitewnych Verdun

Katedry i nadmorskie kurorty

Stare miasta, eleganckie kąpieliska, rozległe lasy oraz żyzne pola

Z północnego krańca departamentu Nord-Pas-de-Calais można dojrzeć kredowe skały Dover górujące nad wodami kanału La Manche. Miejsce to zawsze przecinały ważne szlaki komunikacyjne – ze względu na pograniczne położenie także i dziś region korzysta z zacieśniającej się współpracy krajów Unii Europejskiej. Dotyczy to zarówno jego stolicy, Lille, jak i portów w Dunkierce, Calais, Boulogne-sur-Mer, a także Hawru na wybrzeżu Górnej Normandii (Haute-Normandie). Płaska Pikardia (Picardie), której krajobraz znaczą szachownice pól gęsto przetykanych lasami, obejmuje większość terenów na północ od Paryża. Ważnymi punktami podczas podróży przez ten region, który do historii przeszedł jako kolebka gotyku, są katedry w Amiens, Rouen czy Laonie.

Na wybrzeżu kuszą za to kąpieliska morskie: kurort paryżan, Le Touquet-Paris Plage, czy mniejsze Fécamp, Hardelot-Plage lub Étretat.

Falezy, dziwacznie uformowane klify stromego, kredowego wybrzeża, przyciągają turystów do niewielkiego kurortu Étretat w Normandii

Uliczna kawiarnia w Rouen

W Górnej Normandii najlepiej podróżować w dół Sekwany. Mijane po drodze Rouen jest godne dłuższej wizyty. Gdy wędruje się średniowiecznymi uliczkami Starego Miasta i obok katedry, można odnieść wrażenie, że czas się zatrzymał. Jednak od momentu, gdy na ułożony na rynku stos wstąpiła Dziewica Orleańska, minęło już kilkaset lat. Życie w Rouen toczy się bez wielkomiejskiego pośpiechu – miejscowi wciąż znajdują czas na pogawędkę przy zakupach, aperitif w bistro lub wspólny posiłek w restauracji.

AMIENS

[168 B2] ★ Stara stolica Pikardii (160 tys. mieszk.) warta jest odwiedzin dla samej tylko katedry

Notre Dame. Amiens, położone nad Sommą (Somme), zostało podczas II wojny światowej poważnie zniszczone. Oblicze miasta na północ od katedry jest więc na wskroś nowoczesne, jednak dzielnica kanałów urzeka sielską atmosferą. Największa we Francji świątynia (145 m długości, wnętrze o wysokości 42,3 m, 7,7 tys. m² powierzchni), której budowę rozpoczęto w 1220 r., przytłaczająca wręcz bogactwem ornamentyki, uchodzi za wzorcowy przykład architektury gotyckiej. W Musée de Picardie, codz. oprócz pn. 10.00–12.30 i 14.00–18.00, zgromadzono liczne eksponaty archeologiczne oraz bogaty zbiór dzieł sztuki (w tym bardzo piękną kolekcję malarstwa szkoły francuskiej).

Niewątpliwą atrakcją są urocze *Tylko w MARCO POLO* Les Hortillonages – zespół ogrodów warzywnych poprzecinanych wąskimi kanałami o łącznej długości 55 km. Obszar ten można zwiedzić w wynajętej łódce (szczegóły w biurze informacji turystycznej); w soboty przed południem na quai Parmentier urządzany jest targ.

Quartier St-Leu to najpiękniejsza dzielnica Amiens. Nad boczną odnogą Sommy piętrzą się śliczne domy z kawiarniami, butikami i restauracjami. Wyjątkowo oryginalną restaurację *Tylko w MARCO POLO* *Les Marissons*, pont de la Dodane, ☎0322929666, sb. w porze południowej i nd. zamkn., €–€€, urządzono w XV-wiecznej stoczni z ogrodem. Wygodne noclegi oferuje *Hôtel de Normandie*, 27 pokoi, rue Lamartine 1 bis, ☎03229 17499, fax 0322920656, www.hotelnormandie.com, €.

ARRAS

[168 B2] ★ Największą atrakcją dawnej stolicy krainy Artois (40 tys. mieszk.), dziś głównego miasta departamentu Pas-de-Calais i siedziby biskupstwa, są dwa wspaniałe place – Place des Héros (Petite Place) oraz La Grand' Place – do których zwróconych jest szczytem 155 barokowych domów z przełomu XVII i XVIII w. z arkadami. Hôtel de Ville (ratusz) na Place des Héros został odbudowany po I wojnie światowej. W przedsionku można dojrzeć figury olbrzymów Colasa i Jacqueline'a, które z okazji świąt obnoszone są po ulicach miasta. Z ◁▷ wieży ratusza roztacza się piękny widok na miasto. W Musée des Beaux--Arts, codz. oprócz wt. 9.00–12.00 i 14.00–17.00, zgromadzono piękną kolekcję dzieł sztuki; wiele eksponatów przypomina także postać Maximiliena de Robespierre'a, urodzonego w Arras w 1758 r.

Posilić warto się w restauracji *La Faisanderie*, Grand' Place 45, ☎0321482076, nd. wieczorem i pn. zamkn., €€€, a przenocować w *Hôtel des 3 Luppars*, Grand' Place 49, 42 pokoje, ☎0321600203, fax 0321 242480, €€. Niezliczone pomniki i cmentarze wojskowe, na północ i południowy wschód od Arras, przypominają o bitwie nad Sommą, która kosztowała życie ponad 1,2 mln żołnierzy.

BOULOGNE-SUR-MER

[168 A1] Ta miejscowość nad kanałem La Manche (44 tys. mieszk.) to przede wszystkim najważniejszy port rybacki Francji oraz istotny węzeł komunikacji promowej. Boulogne ma jednak wiele do zaoferowania także pod względem turystycznym. Ujmuje już samo nadmorskie położenie miasta wokół ujścia rzeki Liane oraz wspaniała plaża na północ od centrum. Piękne piaszczyste tereny ciągną się również wzdłuż stromego Côte d'Opale. O ile dolne miasto zostało nowocześnie odbudowane po zniszczeniach II wojny światowej, to średniowieczne górne miasto zachowało swój dawny charakter.

We wspaniałym, futurystycznym ośrodku Nausicaa, Centre National de la Mer, boulevard Ste-Beuve, latem codz. 9.30–20.00, poza sezonem 9.30–18.30, odwiedzający mają okazję do podziwiania bogactwa oceanicznej fauny i flory – od planktonu przez rafy koralowe aż po tropikalne gatunki ryb. Château-Musée, codz. oprócz wt. 10.00–12.30 i 14.00–17.00, nd. 10.00–17.00, poświęcone jest historii naturalnej (liczne skamieniałości z okolic) oraz malarstwu francuskich mistrzów (Camille Corot, François Boucher, Jean-Honoré Fragonard). W Musée Château d'Aumont, codz. oprócz wt. 10.00–12.30 i 14.00–17.00, Ville haute (górne miasto), znajduje się dział egipski, lokalne znaleziska archeologiczne oraz wspaniały zbiór waz greckich.

CALAIS

[168 A1] Ten ważny port i węzeł komunikacyjny (linia promowa i tunel do Dover) leży w miejscu największego przewężenia kanału La Manche (34 km szerokości). Calais odwiedzane jest również ze względu na szerokie plaże i dobre warunki do uprawiania sportów

---

Lista przebojów Marco Polo
„Francja północna"

★ **Amiens**
Największa katedra Francji. (s. 49)

★ **Arras**
Barokowa zabudowa wokół dwóch głównych placów. (s. 50)

★ **Rouen**
Wspaniałe zabytki, dzieła sztuki i niezwykła atmosfera. (s. 55)

★ **Giverny**
Tu żył i malował Claude Monet. (s. 53)

★ **Lille**
Europejska stolica kulturalna 2004 r. potrafi zauroczyć. (s. 54)

★ **Le Bec-Hellouin**
Opactwo było kiedyś ważnym ośrodkiem edukacji. (s. 57)

★ **Jumièges**
Wycieczka do klasztornych ruin nieopodal Rouen to konieczność. (s. 58)

★ **Lyons-la-Fôret**
Baśniowy las w samym środku Normandii. (s. 59)

wodnych. Wspaniały pomnik mieszczan z Calais autorstwa Auguste'a Rodina przypomina o kapitulacji miasta przed królem Anglii, Edwardem III w 1347 r. Warto zwiedzić Musée des Beaux-Arts et de la Dentelle, pn. i śr.–pt. 10.00–12.00 i 14.00–17.30, sb. do 18.30, nd. 14.00–18.30, ze zbiorami dotyczącymi historii sztuki i wyrobu koronek, z których słynie miasto.

Jadąc wzdłuż wybrzeża w kierunku zachodnim, po 20 km dociera się do 134-metrowego Cap Blanc-Nez, z którego roztacza się rozległy widok na Côte d'Opale aż po kredowe skały angielskiego wybrzeża.

40 km na południowy zachód od Calais, na 45-metrowym skalistym wybrzeżu, łagodnie opadającym ku wodzie, leży niewielki kurort Cap Gris-Nez. Na najwyższym punkcie półwyspu wznosi się 28-metrowa latarnia, z której również dojrzeć można drugą stronę kanału.

DIEPPE

[168 A2] Ze względu na linię promową do Anglii i przemysł rybacki w położonym nad kanałem La Manche mieście (34 tys. mieszk.) zawsze panuje duży ruch. Wokół dwukilometrowej plaży, popularnej wśród paryżan z powodu niewielkiej odległości od stolicy, skupiły się liczne hotele. Zamek na wysokiej, kredowej skale mieści znakomite Musée de Château, codz. oprócz wt. 10.00–12.00 i 14.00–18.00. Szczególnie piękna jest kolekcja modeli okrętów oraz figury z kości słoniowej. Bardzo interesujące jest również Cité de la Mer,

latem codz. 10.00–12.30 i 14.00–18.30, w dzielnicy na południe od wejścia do portu. Wygodne noclegi i widok na morze zapewniają hotele *Aguado*, 56 pokoi, boulevard de Verdun 30, ☎0235842700, fax 0235061761, €€€, i *La Presidence*, 89 pokoi, boulevard de Verdun, ☎0235843131, fax 0235848678, €€–€€€. Około 13 km na zachód od miasta, aż po latarnię Phare d'Ailly, rozciąga się kredowe wybrzeże La Côte d'Albâtre.

DUNKIERKA

[168 B1] Ważne miasto portowe Dunkierka (Dunkerque, 70 tys. mieszk.) zostało starannie odbudowane po zniszczeniach II wojny światowej. Warto udać się na rejs po porcie (statki odpływają z Bassin du Commerce) lub zwiedzić miejscowość na piechotę. W ślicznym Jardin de Sculptures znajduje się nowoczesny budynek Musée d'Art Contemporain ze znakomitymi zbiorami. Na nadmorski urlop polecić należy Malo-les--Bains, popularne kąpielisko z kasynem i dwukilometrową nadbrzeżną promenadą Digue de Mer. Atutem hotelu (z restauracją) *Au Rivage*, 16 pokoi, rue Flandre 7, ☎0328631962, fax 0328663859, €–€€, jest lokalizacja nad brzegiem morza.

ÉTRETAT

[167 E2] Elegancki kurort zyskał sławę dzięki falezom (*falaises*), dziwacznie uformowanym skałom kredowym. Między Falaise d'Aval a Falaise d'Amont rozciąga się kilometrowa, żwirowa plaża. W niewielkiej miejscowości panuje latem duży ruch; oprócz pięknej nadmorskiej promenady z kasynem można tu znaleźć wygodne hotele i dobre restauracje. Wielka, drewniana hala targowa na place de Foch jest rekonstrukcją wcześniejszej budowli. Zaledwie 50 m od morza zaprasza *Hôtel Falaises*, 24 pokoje, boulevard du Président René Coty 1, ☎0235270277, www. hoteldesfalaises.fr, € €€.

ÉVREUX

[167 F3] Mimo poważnych zniszczeń podczas ostatniej wojny w położonym w Górnej Normandii mieście (51 tys. mieszk.) cudem zachowała się gotycka katedra Notre Dame ze wspaniałymi witrażami (XIII–XVI w.). Łuki w nawie głównej pochodzą jeszcze z czasów romańskich, a chór z końca XIII w. Wart zobaczenia jest też Église St-Taurin. W kościele tym przechowuje się drogocenny relikwiarz z XIII w., Grande Chasse de St-Taurin.

ATRAKCJE W OKOLICY

Giverny   **[167 F3]**
★ Do normandzkiej miejscowości, 30 km na północny wschód od Évreux, pielgrzymują miłośnicy obrazów Claude'a Moneta. W 1883 r. artysta wprowadził się do domu nazywanego Le Pressoir i pracował w nim aż do śmierci w 1926 r. Dziś budynek jest własnością Fondation Claude Monet, www.fondation-monet.com, która udostępniła go zwiedzającym wraz z zaprojektowanym i tak często malowanym przez Moneta zaczarowanym ogrodem ze stawem i bujną roślinnością. Musée Américain przypomina, że także liczni malarze amerykańscy szukali inspiracji w ojczyźnie impresjonistów. Obie placówki IV–X codz. oprócz pn. 9.30–18.00.

FÉCAMP

[167 E2] Popularne kąpielisko (21 tys. mieszk.) nad Côte d'Albâtre jest także ważnym portem rybackim: kutry wyruszają stąd

Widok na żwirową plażę w małym kąpielisku Étretat

w trasy łowieckie aż do Nowej Fundlandii, co interesująco przedstawione zostało w znakomitym Musée des Terres-Neuvas, codz. oprócz wt. 10.00–12.00 i 14.00–17.30. Sławnym uczyniły jednak Fécamp nie ryby, ale likier. W Palais de la Bénédictine, latem codz. 10.00– 18.30, można dowiedzieć się wszystkiego o słynnym na całym świecie eliksirze życia, stworzonym tu przez benedyktyńskich mnichów. Wygodny hotel z restauracją w rustykalnym stylu, *Auberge de la Rouge*, zaprasza 2 km na południe od miejscowości, 8 pokoi, ☎0235280759, fax 02352 87055, € €€.

[168 B1] ★ Lille (500 tys. mieszk.), niedaleko belgijskiej granicy, to centrum wielkiego okręgu przemysłowego i kulturalna stolica Europy w roku 2004. Obok znanego i znakomitego Musée des Beaux--Arts, pn. 14.00–18.00, śr.–nd. 10.00–18.00, trzeba wspomnieć także o cytadeli, największym dziele budowniczego Sébastiena de Vaubana (oprowadzanie w nd. po uprzedniej rezerwacji w biurze informacji turystycznej). Nie zaszkodzi również odwiedzić Musée d'Art Moderne, codz. oprócz wt. 10.00–18.00, w założonym w 1236 r. przez hrabinę Jeanne de Flandre przytułku dla ubogich. Dla zwiedzających udostępniono dawną izbę chorych, barokową kaplicę oraz piękny zbiór obrazów flamandzkich, holenderskich i północnofrancuskich mistrzów. Na cześć najsłynniejszego syna miasta przemianowano jeden z placów, a dom, w którym w 1890 r. urodził się Charles de Gaulle, przekształcono w muzeum (rue Princess 9, na północ od Starego Miasta, śr.–nd. 10.00–12.00 i 14.00–17.00). Najlepszym hotelem jest *Alliance*, 80 pokoi, quai Wault 17, ☎0320306262, fax 0320429425, €€€; wygodę zapewnia też

Port rybacki w Fécamp przyciąga także wędkarzy

Marco Polo

Był najsłynniejszym podróżnikiem średniowiecza

W 1271 r. Marco Polo (1254–1323) wyruszył z misją od papieża Grzegorza X do władcy Mongołów i cesarza Chin. Trzy lata wędrował konno i pieszo przez Anatolię, Persję i Azję Środkową. W drodze powrotnej poznał Półwysep Indochiński, Sumatrę, Cejlon oraz Indie. Jego relacje wpłynęły na rozbudzenie w Europie zainteresowania podróżami.

Le Grand Hôtel, 34 pokoje, rue Faidherbe 51, ☎0320063157, fax 0320062444, www.legrandhotel. com, €€.

ROUEN

[167 F2] ★ Stara stolica Normandii (115 tys. mieszk.) ma wiele do zaoferowania. Malownicze miasto nad Sekwaną poszczycić się może mnóstwem klejnotów architektury: oprócz potężnej katedry, zaliczanej do największych i najpiękniejszych we Francji, późnogotyckiego kościoła St-Maclou, średniowiecznej kostnicy Aître St--Maclou oraz kościoła opackiego St-Ouen na Starym Mieście zachowało się około 700 średniowiecznych domów. Wiele z nich tłoczy się wokół Rue St-Romain oraz Rue de Gros Horloge. Ładny widok roztacza się z ◆ Panorama de la Côte-Ste-Catherine, około 1,5 km na południowy wschód od centrum.

ZWIEDZANIE

Cathédrale Notre-Dame

To arcydzieło gotyku w środku Starego Miasta budowano od XII do XVI w. Któż nie zna obrazu Claude'a Moneta, na którym ażurowa, zachodnia fasada świątyni widnieje skąpana w mieniącym się świetle? Wspaniałe są również bogato zdobione posągami portale transeptu – od strony północnej Portail des Libraires, od południowej Portail de la Calende. Ze względu na ilość zgromadzonych tu skarbów na zwiedzanie wnętrza katedry, najlepiej z przewodnikiem, należy zarezerwować sporo czasu. Wspomnieć warto o znajdującym się w chórze grobowcu i posągu Ryszarda Lwie Serce z sercem monarchy oraz o niezwykłej, półokrągłej krypcie romańskiej, odkrytej w 1934 r.

Église Saint-Maclou

Kościół, wybudowany w latach 1437–1581, uchodzi za wybitny przykład późnego gotyku. We wnętrzu uwagę przykuwają piękne renesansowe witraże. Rue Martainville, po lewej stronie kościoła, prowadzi do Aître de Saint-Maclou, dawnej kostnicy otoczonej wieńcem domów z pruskiego muru. W XVI i XVII w. w galeriach budynku chowano ofiary epidemii.

Église Saint-Ouen

Piękny gotycki kościół dawnego opactwa benedyktyńskiego po-

Gotyk płomienisty w czystej postaci: katedra Notre Dame w Rouen

szczycić się może odrestaurowanymi witrażami z XIV w. Główna wieża świątyni, Tour Cuoronnée, jest arcydziełem gotyku płomienistego i mierzy 82 m.

Gros-Horloge i Beffroi
Od katedry warto również udać się wzdłuż Rue de Gros Horloge do wieży zegarowej o tej samej nazwie, wzniesionej w końcu XIV w. w celach obronnych. Zegar z tylko jedną wskazówką pokazuje postaci symbolizujące poszczególne dni tygodnia oraz fazy Słońca i Księżyca. W górze wznosi się gotycka *beffroi* (dzwonnica miejska).

Palais de Justice
Dzięki bogatej ornamentyce z zastosowaniem wszystkich elementów gotyku płomienistego, a także renesansu budynek sądowy prezentuje się niczym książęca rezydencja. Pałac Sprawiedliwości wznosi się przy Rue aux Juifs, nieopodal Gros-Horloge.

Place du Vieux Marché
Na starym rynku ułożono stos, na którym 30 maja 1431 r. spłonęła Joanna d'Arc. Miejsce to upamiętnia krzyż. Patronce narodu poświęcone jest niewielkie muzeum naprzeciw kościoła Ste-Jeanne-d'Arc, codz. V–X 9.30–19.00, w pozostałym okresie 10.00–12.00 i 14.00–18.00.

MUZEA

Musée des Beaux-Arts
Do najcenniejszych płócien tutejszej kolekcji malarstwa należą prace Caravaggia, Diega Velásqueza, Petera Paula Rubensa, Nicolasa Poussina oraz François Cloueta. W muzeum wystawiono także obraz *Le Portail, temps gris* pochodzący z Monetowskiej serii „katedralnej". Square Verdrel, codz. oprócz wt. 10.00–18.00.

Musée de la Céramique
Placówka prezentuje stałą wystawę fajansu z Rouen oraz mniej

więcej 600 wyrobów porcelano-wych z Francji i zagranicy. Hôtel d'Hocqueville, codz. oprócz wt. 10.00–13.00 i 14.00–18.00.

Musée Flaubert
Ojciec autora *Madame Bovary* sprawował funkcję chirurga w Hôtel-Dieu. Odtworzony po-kój, w którym narodził się Gu-stave Flaubert, mieści dziś mu-zeum. Rue de Lecat 51, wt. 10.00–18.00, śr.–sb. 10.00–12.00 i 14.00–18.00.

Musée Le Secq des Tournelles
To jedno z najsłynniejszych na świecie muzeów sztuki kowalskiej z ponad 12 tys. eksponatów. Rue Jacques-Villon, codz. oprócz wt. 10.00–13.00 i 14.00–18.00.

GASTRONOMIA

La Couronne
Na Vieux Marché działa najstarsza gospoda Francji (1345 r.) o w peł-ni średniowiecznym charakterze. Także kuchnia pozostaje wierna historycznej tradycji. Place Vieux--Marché 31, ☎0235714090, czynne codz., €€–€€€.

Gill
Dwugwiazdkowa restauracja z wy-rafinowaną kuchnią. Quai de la Bourse 9, ☎0235711614, VIII i pn. zamkn., €€–€€€.

Le Quatre Saisons (Hôtel de Dieppe)
Przytulny lokal w stylu *brasserie*; wystawna, normandzka kuchnia. Dodatkowo 41 pokoi, place B.--Tissot, ☎0235719600, fax 023589 6521, sb. w porze południowej zamkn., €–€€.

ZAKUPY
Warto wykorzystać okazję: fajans z Rouen cieszy się dobrą opinią, a oferta jest niezwykle szeroka, np. Faïences Benit-Romain, rue St--Romain 56.

NOCLEGI
Hôtel de Bordeaux
Przyjemny, wygodny i pięknie usytuowany między Sekwaną a katedrą. 48 pokoi, place de la République 9, ☎0235719358, fax 0235719215, €–€€.

Mercure Rouen Centre
Komfortowy, dobrze zarządzany, z miłą atmosferą. 125 pokoi, rue Croix-de-Fer, ☎0235526952, fax 0235894146, www.mercure.com, €€–€€€.

Notre-Dame
Przy odrobinie szczęścia można otrzymać obszerny pokój z wido-kiem na katedrę. Wyśmienita ob-sługa. 28 pokoi, rue de la Savonne-rie 4, ☎0235718773, fax 023589 3152, www.hotelnotredame.com, €–€€.

INFORMACJA
Office de Tourisme
Place de la Cathédrale 25, ☎02320 83240, fax 0232083244, www.rouentourisme.fr.

ATRAKCJE W OKOLICY
Le Bec-Hellouin [167 E3]
★ Zachowany w postaci roman-tycznych ruin zespół zabudowań klasztornych, 30 km na południo-wy zachód od Rouen, został zało-

żony w 1034 r. przez rycerza Herluina i między XII a XIV w. był ważnym ośrodkiem edukacji kleru normandzkiego. Ze starego kościoła opackiego przetrwały tylko fragmenty absydy i pojedyncze kaplice; nowy kościół wzniesiony został w XVII w. na terenie dawnego refektarza. Piękne krużganki pochodzą z lat 1640–1660. Oprowadzanie codz. oprócz wt. Noclegi oferuje urocza *Auberge de l'Abbaye*, ☎023 2448602, fax 023246 3223, €€, o ile wolny jest któryś z dziewięciu pokoi. Warto polecić również tamtejszą restaurację, wt. w porze południowej i śr. zamkn., €€.

Caudebec-en-Caux [167 E2]

Zabudowane domami z pruskiego muru miasteczko (2,7 tys. mieszk.) położone jest malowniczo na brzegu Sekwany, 62 km na zachód od Rouen. Jego życie od zawsze związane było z rzeką. Dokładne wyobrażenie o tym daje wizyta w Musée de la Marine de Seine, poświęconym transportowi rzecznemu, handlowi i rybołówstwu – codz. 13.30–18.00, poza sezonem wt. zamkn. Wart obejrzenia jest późnogotycki Église Notre-Dame, a także Maison des Templiers z XIII w. Dobrą kuchnię i noclegi oferuje w centrum *Cheval Blanc*, 14 pokoi, place R. Coty 4, ☎0235962166, fax 0235953540, www.le-cheval-blanc.fr, restauracja nd. wieczorem zamkn., €–€€.

Château Gaillard [167 F3]

39 km na południowy wschód od Rouen, na ☙ wapiennej skale, wysoko nad miastem Les Andelys (10 tys. mieszk.), majestatycznie wznosi się potężna ruina Château Gaillard. Zamek, którego budowa

rozpoczęła się w 1156 r. i trwała zaledwie dwa lata, jest dziełem Ryszarda Lwie Serce i w zamyśle miał być głównym punktem obrony angielskiej w Normandii. Gdy w 1204 r. francuski król dał sygnał do szturmu, grupa jego ludzi przedostała się do środka przez latrynę i opuściła most zwodzony. Twierdza stanęła otworem. Poł. III–poł. XI codz. oprócz śr. rano i wt. 9.00–12.00 oraz 14.00–18.00. Rozkosze stołu oferuje *La Chaîne d'Or*, rue Grande 27, ☎0232540031, €–€€.

Gisors [167 F3]

Miasto (9 tys. mieszk., 58 km na południowy wschód od Rouen) powstało wokół potężnego zamku, zbudowanego w 1097 r. przez angielskiego króla Wilhelma II Rudego. Ostatecznie, po wielokrotnych zmianach granic, twierdza przypadła w 1449 r. Francji. Z ☙ donżonu roztacza się daleki widok na okolicę. Niewiele młodszy jest kościół St-Gervais-et-St-Protais, który choć wielokrotnie przebudowywany, zadziwia stylistyczną spójnością.

Jumièges [167 E2]

★ W zakolu Sekwany, 25 km na zachód od Rouen, wznoszą się – jedne z największych i najpiękniejszych we Francji – ruiny klasztorne. Jumièges założone zostało w 654 r. przez św. Filiberta, a po 960 r. odbudowane po zniszczeniach dokonanych przez wikingów. W roku 1040 rozpoczęła się budowa świątyni Notre Dame. Obie 46-metrowe wieże do dziś górują nad pozbawionym dachu kościołem. Od południowej strony do kompleksu przylegają pozostałości wzniesionego w latach 1332–1349 kościoła St-Pierre i kapitula-

Sady jabłkowe dominują w krajobrazie Pays d'Auge na zachód od Rouen

rza (XII w.). Ostatni mnisi opuścili bogaty i potężny niegdyś klasztor w 1790 r. Latem codz. 9.30–19.00, zimą 9.30–13.00 i 14.30–17.30.

Lyons-la-Forêt [167 F3]

Leśne powietrze i śpiew ptaków czekają na wszystkich odwiedzających tę niewielką (1 tys. mieszk.), sielską miejscowość w środku bukowego lasu o powierzchni 100 km². Letnisko jest wspaniałym punktem wypadowym do wycieczek po uroczej okolicy. Nie wolno zapomnieć o wizycie w cysterskim opactwie Mortemer na południe od wsi, Wielkanoc–IX codz. 13.00–18.00.

Martainville [167 F2]

W ceglano-kamiennym, dostojnym *château* mieści się interesujące Musée Départamental des Traditions et Arts Normands. 16 km na północny wschód od Rouen, codz. oprócz wt. i sb. przed południem 10.00–12.30 i 14.00–17.00 lub 18.00.

LE TOUQUET PARIS-PLAGE

[168 A1] Eleganckie kąpielisko (5,5 tys. mieszk.), popularne szczególnie w okresie międzywojennym, uznawane jest za perłę Côte d'Opale i najlepiej wyposażony kurort na całym wybrzeżu kanału La Manche. Ze względu na stosunkowo niewielką odległość od stolicy założona w 1882 r. miejscowość otrzymała nazwę Paris-Plage, zmienioną później na Le Touquet Paris-Plage. Wspaniała promenada, zadbane hotele i eleganckie wille pośród sosen sprawiają, że do dziś jest to ulubione miejsce wypoczynku zamożnej młodzieży z Francji i Anglii. Do szczególnie ładnych hoteli należą *Le Manoir*, 42 pokoje, avenue du Golf, ☎0321062828, fax 0321062829, €€€, oraz przypominający pałac *Westminster*, 113 pokoi, avenue du Verger 5, ☎0321054848, fax 0321054545, €€€.

59

Zamki i kalwaryjskie sanktuaria

Słynne zamki nad Loarą, bretońskie kalwarie oraz wybrzeże atlantyckie z portami i kąpieliskami

Najpiękniejsza droga na zachód Francji wiedzie przez krainę słynnych zamków – dolinę Loary. Dalej, do wybrzeża można już dotrzeć na kilka sposobów: północą przez Dolną Normandię (Basse-Normandie), środkiem przez Bretanię (Bretagne) lub południem przez Poitou. Dolna Normandia, ze stolicą w Caen, za-

Widok z Île de Ré na stały ląd

czyna się na wysokości Honfleur. Ta soczystozielona, rolnicza kraina, usiana łąkami, polami i sielskimi wioskami, jest regionem o bardzo interesującej historii. Są tu także nadmorskie kąpieliska Deauville i Cabourg, Bayeux ze słynną tkaniną oraz piękny półwysep Cotentin z portem w Cherbourgu. Niedaleko największej atrakcji turystycznej Francji, Mont-St-Michel, zaczyna się Bretania. Ten duży półwysep (250 km długości, do 100 km szerokości) ma do zaoferowania dziesiątki atrakcji turystycznych. Wspaniały jest Armor, „nadmorski kraj" – skaliste wybrzeże pełne zatok, klifów i rybackich przystani. Argoat, „leśny kraj" w śród-

Centrum La Rochelle jest gęsto usiane knajpkami

lądowej części Bretanii, to region głębokiej wiary i legend; ku kamiennym krucyfiksom sanktuariów kalwaryjskich wyruszają co roku tłumne procesje. Bretania to jednak także kraina letniego wypoczynku, przede wszystkim na półwyspie Quiberon, nad zatoką Morbihan i wzdłuż wybrzeża atlantyckiego aż po wielkie kąpielisko w La Baule.

Okręg wokół Nantes, ujścia Loary i Poitou nosi nazwę Kraju Loary (Pays de la Loire). Położona na wysokości 150 m żyzna równina przechodzi na zachodzie w krainę zwaną Wandeą (Vendée). Na wybrzeżu czeka na urlopowiczów wiele niespodzianek i atrakcji: port La Rochelle, wielkie wyspy Île de Ré i Île d'Oléron czy kąpielisko Royan.

Angers

[167 D5] Zadbana i wciąż zamożna dawna stolica hrabstwa Anjou (140 tys. mieszk.) leży nad rzeką Maine, 8 km od jej ujścia do Loary. Ponad dachami szachulcowych domów *cité* góruje zbudowany w latach 1228–1238 ★ Château d'Angers. Największą atrakcją jest umieszczony w nowoczesnym budynku galerii najstarszy i najsłynniejszy gobelin świata, *Tenture de l'Apocalypse* (1375–1380). Cykl gobelinów – obecnie mierzący 130 m długości i 6 m szerokości – składał się pierwotnie z 98 scen, z których zachowały się dwie trzecie (latem codz. 9.30–19.00). Katedra St-Maurice uchodzi za najpiękniejszy przykład gotyku zachodniofrancuskiego. W dawnym szpitalu St-Jean mieści się Musée Jean Lurçat z gobelinami zmarłego w 1966 r. artysty (boulevard Arago 4, latem codz. oprócz pn. 9.00–18.30). Nocleg w centrum miasta oferuje *Continental*, 25 pokoi, rue Louis-de-Romain, ☎0241869494, fax 0241869660, €–€€.

Piękny, renesansowy (XVI–XVIII w.) zamek Serrant, 18 km na południowy zachód, www.loire-france.com, należy obecnie do potomków księcia de la Trémoille. Oprowadzanie latem codz. oprócz wt. 10.00–11.30 i 14.00–17.30.

Angoulême

[170 C2] Z 🔱 Remparts Desaixs, obwarowań wysoko położonego miasta, rozpościera się wspaniały widok. W stolicy departamentu Charente (43 tys. mieszk.) warto zobaczyć przede wszystkim zbudowaną w latach 1105–1128 romańsko-bizantyńską katedrę St-Pierre oraz wiodący wśród umocnień obronnych boulevard des Remparts. Dobry i niedrogi jest hotel *St-Antoine*, 32 pokoje, ☎0545 683821, fax 0545691031, €–€€. 22 km na północny wschód od Angoulême wznosi się Château La Rochefoucauld, IV–kon. XI, codz. 10.00–19.00, pozostałe miesiące sb. i nd. od 14.00. Zamek był niegdyś własnością François de la Rochefoucaulda (1613–1680), autora słynnego zbioru aforyzmów *Maksymy i rozważania moralne*.

La Baule

[166 C5] Elegancki, najważniejszy po Biarritz kurort atlantycki (15 tys. mieszk.) urzeka wspaniałą, ośmiokilometrową piaszczystą plażą i piękną promenadą. Latem panuje tu duży ruch, ale i bardzo miła atmosfera; miejscowość wyróżnia się także bogatą ofertą dla amatorów sportu. Wybór dobrych hoteli, restauracji i butików jest ogromny. Niedrogie są *La Closerie*, 15 pokoi, avenue M.-de-Lattre-de-Tassigny 173, ☎0251751700, fax 0251751719, €€, oraz *Residence Parabaule La Cantellerie*, avenue de Saumur 10, ☎0240113510, fax 0240606421, www.parabaule.com, apartamenty VII–VIII około 900–1250 euro za tydzień.

Bayeux

[167 D3] ★ W przeciwieństwie do innych ośrodków w Normandii to ładne, średniowieczne miasto (15 tys. mieszk.) przetrwało ostatnią wojnę w stanie nienaruszonym. Poza piękną katedrą zachowały się tu liczne domy mieszczańskie (XV–XVIII w.). Najważniejszym skarbem jest jednak słynna Tkanina z Bayeux (*Tapisserie de la Reine Mathilde*, www.bayeux-tourisme. com) z XI w. – wielobarwny haft na płóciennym pasie o długości ponad 70 m, przedstawiający dzieje podboju Anglii przez Normanów (Musée de la Reine Mathilde, latem codz. 9.00–19.00, poza sezonem 9.00–12.30 i 14.00–19.30). Warto odwiedzić również inne muzea: w Musée Diocésian d'Art Religieux, latem codz. 10.00–12.30 i 14.00–18.00, przy katedrze, można poczuć się jak w prawdziwym skarbcu. Uwagę przyciągają zbiory wyrobów koronkarskich, z których słynie region; wizyta w Conservatoire de la Dentelle, latem codz. 10.00–12.30 i 14.00–18.00, jest okazją, by podejrzeć, jak powstają te prawdziwe dzieła sztuki. W czasy historii najnowszej, kiedy Normandia stała się wielkim polem bitwy, przenosi Musée Mémorial 1944 Bataille de Normandie, ogromny kompleks z bogatym zbiorem dokumentów; kilka razy dziennie prezentowany jest film o D-Day, dniu lądowania aliantów w Normandii (codz. V–poł. IX 9.30–18.30, pozostałe miesiące 10.00–12.30 i 14.00–18.00). Wygodne miejsca noclegowe oferuje *Hôtel d'Argouges*, 25 pokoi, rue St-Patrice 28, ☎02319 28886, fax 0231926916, €€–€€€.

Lista przebojów Marco Polo „Francja zachodnia"

★ **Château d'Angers**
Potężny zamek z siedemnastoma wieżami. (s. 62)

★ **Bayeux**
Dzieje średniowiecznej Europy na ręcznie utkanym płótnie. (s. 62)

★ **Nantes**
Morze i zabytki najwyższej klasy. (s. 68)

★ **Dinan**
Średniowiecze w czystej postaci. (s. 66)

★ **Honfleur**
Malowniczy port rybacki pustoszeje po sezonie. (s. 67)

★ **Carnac**
Niezwykła atrakcja dla miłośników tajemniczych megalitów. (s. 65)

★ **Mont-Saint-Michel**
Klasztorna góra wyrastająca z morza to prawdziwy cud świata. (s. 74)

★ **Le Futuroscope**
O świecie zapominają tu nie tylko dzieci. (s. 71)

★ **Saint-Malo**
Dawny port korsarski wciąż intryguje i zachwyca. (s. 73)

★ **Saumur**
Miasto słynne dzięki szkole kawalerii i andegaweńskiemu winu. (s. 74)

BREST

[166 A4] Największy obok Tulonu port wojenny Francji (220 tys. mieszk.) uległ podczas wojny niemal całkowitemu zniszczeniu. Sposób jego odbudowy sprawił, że romantyczny urok portowego miasta przetrwał tylko w niewielu miejscach. Z � Cours Dajot, promenady wytyczonej w 1769 r. ponad portem handlowym, roztacza się efektowny widok na zatokę (Rade de Brest). Bardzo interesujące jest centrum morskie Océanopolis na przystani jachtowej Moulin Blanc, gdzie w fascynujący sposób zaprezentowano życie fauny i flory oceanów, w sezonie codz. 9.00–18.00. Noclegi zapewnia m.in. *Hôtel de la Paix*, 25 pokoi, rue Algésiras 32, ☎0298 801297, fax 0298433095, €–€€. Nie zaszkodzi wybrać się też do największego sanktuarium kalwaryjskiego w Bretanii – Calvaire de Plougastel-Daoulas (1602–1604), 11 km na wschód od Brestu.

Tylko w MARCO POLO

CABOURG I DIVES--SUR-MER

[167 E3] Wytworne kąpielisko z czasów belle époque, Cabourg (3,3 tys. mieszk.), tworzy wraz z położonym na przeciwległym brzegu rzeki Dives rybackim miasteczkiem o tej samej nazwie (5,8 tys. mieszk.) spójną całość. Cabourg powstał w końcu XIX. stulecia niczym miasto „z probówki" – z siecią prostopadle do siebie wytyczonych ulic, Domem Zdrojowym, szeregiem hoteli nad wspaniałą, piaszczystą plażą i dzielnicą willową, dziś zabudowaną również apartamentowcami. Słynnym gościem kurortu był Marcel Proust, dzięki któremu Cabourg pod nazwą Balbec przeszedł do historii literatury. Pisarz mieszkał w przypominającym pałac gmachu *Grand Hotelu*, 70 pokoi, promenade Marcel Proust, ☎0231 910179, fax 0231245461, €–€€. Wart rekomendacji jest również *Hôtel de Paris*, 24 pokoje, avenue de la Mer 39, ☎0231913134, fax 0231245461, €–€€.

CAEN

[167 D–E3] Stolica Dolnej Normandii (200 tys. mieszk.) jest dzięki przemyślanej i starannie przeprowadzonej odbudowie jednym z piękniejszych i bardziej interesujących miast regionu. Ponad średniowiecznymi uliczkami górują kościoły i ✳ château Wilhelma Zdobywcy, który za swoją siedzibę obrał właśnie Caen. Gotycki kościół St-Pierre z niezwykle piękną absydą pochodzi z przełomu XIII i XIV w. Wspaniała świątynia opacka La Trinité lub L'Église de l'Abbaye aux Dames z 1062 r. skrywa grobowiec królowej Matyldy, małżonki księcia Wilhelma. Z murów zamku roztacza się piękny widok. Warto poświęcić trochę czasu na wizytę w Musée des Beaux-Arts i Musée de Normandie, oba codz. oprócz wt. 9.30–18.00. Koniecznie należy też skosztować słynnych *tripes à la mode de Caen*, np. w *Le Bœuf Ferré*, rue Croisiers 10, €€. Noclegi oferuje m.in. *Hôtel Royal*, 42 pokoje, place de la République, ☎02318 65533, fax 0231798944, €.

CARNAC

[166 B5] ★ Na zachód od tego niewielkiego kąpieliska (4,4 tys. mieszk.) znajduje się najważniejszy ośrodek prehistorycznego kultu w Bretanii z ponad 3 tysiącami menhirów i dolmenów. Poszczególne kamienne rzędy noszą nazwy *alignements du Ménec, de Kermario* i *de Kerlescan*. Obiekty powstały między 4500 a 2000 r. p.n.e. Tumulus St-Michel, kurhan z celami grobowymi, zlokalizowany jest na północno-wschodnich przedmieściach Carnac. Cennych informacji na temat tajemniczych megalitów dostarcza Musée de Préhistoire, VI–IX pn.–pt. 10.00–18.00, sb. i nd. 10.00–12.00 i 14.00–17.00, poza sezonem codz. oprócz wt. do 17.00. Przy nabrzeżnym bulwarze zaprasza hotel *Plancton*, 23 pokoje, boulevard Plage, ☎0297 521365, fax 0297528763, **€€€**, z widokiem na morze.

CHAUVIGNY

[170 C1] Położone między Poitiers a Saint-Savin miasteczko (7 tys. mieszk.) odgrywało w średniowieczu ważną rolę jako siedziba panów de Chauvigny, którzy jednocześnie sprawowali funkcję biskupów Poitiers. O dawnej świetności miasta świadczy zespół górujących nad nim pięciu ruin zamkowych. Z Château Baronnial (XI w.) zachowały się przede wszystkim potężna wieża główna i mury obronne, z Château d'Harcourt (XIII i XV w.) na szczycie wzgórza – imponujące mury oraz brama wjazdowa. Wrażenie robi także wieża (XI w.) ruin Château de Gouzon koło kościoła St-Pierre. Niezwykle interesujące kapitele w chórze kościoła (XI w.) zdobione są po części scenami biblijnymi, po części zaś budzącymi grozę potworami, m.in. demonami, syrenami i sfinksami. W dolnym mieście zaprasza przytulny hotel *Lion d'Or*, 26 pokoi, rue Marché 8, ☎05494 63028, fax 0549477428, **€–€€**.

COUTANCES

[167 D3] Malowniczo położone na granitowych skałach zachodniego wybrzeża półwyspu Cotentin miasto (13,5 tys. mieszk.), dawna siedziba episkopatu, może poszczycić się arcydziełem gotyku – katedrą Notre Dame. Szczególnie imponująca jest kopuła ośmiokątnej wieży, wzniesionej na przecięciu naw. Z wieży widać St-Malo i wyspę Jersey. 20 km na południe, w zielonej dolinie rzeki Sienne, wznosi się Abbaye de Hambye, IV–X, codz. 10.00–12.00 i 14.00–18.00, fascynujące, romantyczne ruiny klasztoru z 1145 r. Tylko w MARCO POLO

DEAUVILLE

[167 E3] Najsłynniejszy do lat 30. ubiegłego wieku kurort morski Francji (4,3 tys. mieszk.) to wciąż wyjątkowe zjawisko: elegancka, światowa atmosfera, sławna promenada Planches wzdłuż trzykilometrowej plaży, luksusowe hotele, sierpniowe grand prix w wyścigach konnych, kasyno. Na początku roku organizowane są rozmaite zawody sportowe, a późną jesienią miłośnicy hippiki ściągają tu na aukcje koni sportowych i źrebiąt. Przenocować można w małym hotelu *Le Chantilly*, 17 pokoi, avenue de la République 120, ☎0231887975, fax 02318 84129, €, lub w luksusowym *Normandy Barrière*, 272 pokoje, rue Jean-Mermoz 38, ☎0231986622, fax 0231986623, www.lucienbarriere.com, €€€. Czarujące Houlgate na zachód od Deauville należy do najpopularniejszych kąpielisk w Normandii. Piaszczysta plaża rozciąga się u stóp skalistego wybrzeża Falaises des Vaches Noires. Uroku miejscowości dodaje także piękna dzielnica willowa.

wprost idealnym miejscem dla urządzanego w końcu sierpnia święta średniowiecza. Najpiękniejsze domy skupiły się przy rue de l'Apport, place des Merciers oraz rue de Jerzual. W wieży XIV-wiecznego zamku księżnej Anny mieści się interesujące muzeum (latem codz. 10.00–19.15). Dobrym miejscem na nocleg jest hotel *France*, 14 pokoi, place du 11 Novembre 7, ☎0296392256, fax 0296 390896, €€.

Amatorzy ogrodów zoologicznych powinni się wybrać do Château de la Bourbansais, 14 km na południowy zachód od Dinan.

DINAN

[166 C4] ★ W żadnym bretońskim mieście nie czuć tak wyraźnie atmosfery średniowiecza jak właśnie w Dinan (14 tys. mieszk.). Wspaniałych wrażeń dostarcza przechadzka po starówce, wśród domów z pruskiego muru i wytwornych renesansowych kamienic. Dinan jest

Dom o konstrukcji szachulcowej w Dinan

DINARD

[166 C4] W końcu XIX w. eleganckie kąpielisko (10 tys. mieszk.) było ulubionym miejscem wypoczynku angielskiej arystokracji. Wciąż dominuje tu architektura belle époque z wielkimi willami, kasynem, piękną promenadą i wytwornymi hotelami. W 1868 r. sezon kąpielowy otworzyła cesarzowa Eugenia, żona Napoleona III. Villa Eugénie mieści dziś Musée du Site Balnéaire, IV–X codz. 10.00–12.00 i 14.00–18.00, które oprócz prezentacji dorobku kultury regionalnej poświęca dużo uwagi także historii miasta. Szczególnie okazałe wille stoją na pointe de la Malouin. Nadmorska promenade du Clair de Lune wieczorami wygląda wręcz bajecznie. Na rodzinne plażowanie i kąpiel nadaje się Plage de Prieuré, bardziej elegancka jest za to Plage de l'Écluse koło kasyna. Kto marzy o wyszukanym noclegu, powinien się udać do jednej z dwóch stylowych willi hotelu *Reine Hortense et Castle Eugénie*, 13 pokoi, rue Malouine 19, ☎0299465431, fax 0299881588, €€€.

Około 30 km na zachód wznosi się 70-metrowa skała ◁▷ Cap Fréhel – fantastyczny punkt widokowy (latem bardzo tłoczno!).

HONFLEUR

[167 E2–3] ★ Położone na wybrzeżu Normandii, które w tym miejscu nosi nazwę Côte Fleurie (wcześniej Côte de Grâce), Honfleur (8,1 tys. mieszk.) jest małym, malowniczym portem rybackim. W XIX w. miejscowość przyciągała przede wszystkim malarzy, dziś przyjeżdżają tu elity. Szczególnie nastrojowo prezentuje się Stare Miasto z kolorowymi łodziami rybackimi i jachtami w Vieux Bassin oraz gęsto ściśniętymi rzędami wysokich, wąskich domów. Musée de la Marine, w starym kościele St-Étienne, prezentuje interesującą ekspozycję dotyczącą dziejów portowego miasta (IV–IX codz. 9.00–12.00 i 14.00–18.00). Piękną robotę ciesielską można podziwiać w drewnianym kościele Ste-Catherine z XVI w. oraz w wolno stojącej dzwonnicy. Musée Eugène Boudin, rue de l'Homme de Bois, latem codz. oprócz wt. 10.00–12.00 i 14.00–18.00, szczyci się wspaniałą kolekcją płócien urodzonego w 1824 r. w Honfleur malarza, a także dziełami Claude'a Moneta, Johanna Bartholda Jongkinda, Gustave'a Courbeta i in. Melomanów powinno zainteresować muzeum Maison Satie poświęcone m.in. urodzonemu w 1866 r. w Honfleur kompozyto-

Wysokie maszty i wąskie fasady portu jachtowego w Honfleur

rowi Erikowi Satie, boulevard Charles V 67, latem codz. 10.00–19.00, zimą codz. oprócz wt. 10.30–18.00. Bardzo miłe noclegi zapewnia *Castel Albertine*, 26 pokoi, cours Albert-Manuel 19, ☎023 1988556, fax 0231988318, €–€€, a wyśmienitą kuchnię – restauracja *L'Assiette Gourmande*, quai Passagers 2, ☎0231892488, www.honfleurhotels.com, €€–€€€.

ATRAKCJE W OKOLICY

Hawr   **[167 E2]**
Zniszczenia wojenne były tu ogromne. Hawr (Le Havre), drugi po Marsylii port Francji (196 tys. mieszk.), odbudowany został w schematyczny sposób, z dominacją sterylnej, betonowej architektury ciągnącej się wzdłuż szerokich arterii.

Między Hawrem i Honfleur przerzucono – w poprzek ujścia Sekwany – najdłuższy we Francji most wiszący. Konstrukcja ma 2,141 km długości i 215 m wysokości. Za przejazd pobierana jest od kierowców opłata. Zaciszna lokalizacja w centrum miasta jest atutem hotelu *Foch*, 33 pokoje, rue Caligny 4, ☎0235425069, fax 0235 434017, €€.

LE MANS

[167 E4–5] Słynny 24-godzinny wyścig samochodowy to nie jedyna atrakcja tego ważnego ośrodka przemysłowego (195 tys. mieszk.). Na terenie uroczego Starego Miasta wznosi się potężna katedra St--Julien z romańską nawą oraz gotyckim chórem i transeptem, a także wspaniałe średniowieczne domy mieszczańskie. Musée de l'Automobile et de la Sarthe, poł. II–XII codz. 10.00–18.00 lub 19.00, znajduje się 5 km na południe od toru wyścigowego.

Tylko w MARCO POLO

NANTES

[167 D5] ★ Największe miasto Bretanii (550 tys. mieszk.) należy administracyjnie do regionu Pays de la Loire; położone nad Loarą, tylko 50 km od morza, dostępne jest nawet dla dużych statków. Ten ośrodek gospodarczy i kulturalny, ściśle związany z portem morskim w St-Nazaire, w którego stoczni zwodowana została „Queen Mary II", stał się po reformie administracyjnej metropolią Kraju Loary. Centrum Nantes urzeka atmosferą starego, lecz świetnie prosperującego miasta. Pobyt warto urozmaicić sobie takimi atrakcjami, jak wspaniały Pommeraye-Passage z ekskluzywnymi sklepami, szklana ściana Grenier du Siècle czy przejażdżka supernowoczesnym tramwajem.

Cathédrale St-Pierre-et-St-Paul

Budowa katedry rozpoczęła się w roku 1434, jednak zakończenie prac nastąpiło dopiero w latach 1840–1893. Imponujące wnętrze ma 102 m długości, 32 m szerokości i 37,5 m wysokości.

Château des Ducs de Bretagne

Fundatorem otoczonego przez trzy potężne wieże zamku, na południe od katedry, był książę Henryk II (od 1466 r.). W tej ufortyfikowanej budowli urodziła się w 1477 r. Anna Bretońska, a w 1598 r. Henryk IV podpisał edykt nantejski, zapewniający protestantom wolność religijną. Udostępniony do zwiedzania jest tylko dziedziniec. Otwarcie muzeum historii żeglugi i lokalnego przemysłu zaplanowano na 2006 r.

Île Feydeau

Dawna wyspa na bocznej odnodze Sekwany, osuszonej w latach 1928 i 1938, rozpościera się obok place du Commerce, gdzie mieści się biuro informacji turystycznej. Odczuwa się tu atmosferę minionych wieków, kiedy miasto było ważnym ośrodkiem żeglugi morskiej i handlu niewolnikami; w allée Duguay-Trouin i allée Turenne wznoszą się dostojne rezydencje armatorów z XVIII w.

Nantes: widok na katedrę od strony południowej

La Tour LU

Do dawnej fabryki słynnych ciastek maślanych wprowadził się teatr miejski. 38-metrową wieżę wieńczy Gyrorama, dziwaczna maszyna, którą mogą obsługiwać zwiedzający, śr.–sb. 13.00–19.00, nd. 15.00–19.00.

MUZEA

Musée des Beaux-Arts

Obszerne zbiory płócien starych mistrzów oraz francuskich twórców XIX i XX w. Rue Georges Clémenceau 10, codz. oprócz wt. 10.00–18.00, pt. do 20.00.

Musée d'Histoire Naturelle

Pierwszorzędne zbiory z zakresu historii naturalnej i zoologii (wiwarium) w dawnym Hôtel de la Monnaie, rue Voltaire/place Graslin, codz. oprócz wt. 10.00–18.00.

Musée Jules-Verne

Autor *W 80 dni dookoła świata* i innych powieści fantastycznych urodził się w Nantes w 1828 r. W starej kamienicy zebrano świadectwa jego niezwykłej, nowatorskiej wyobraźni, rue de l'Hermitage 3, dojazd przez quai de la Fosse, codz. oprócz wt. i nd. przed południem 10.00–12.00 i 14.00–17.00.

Musée Dobrée/ Musée archéologique

Neoromański pałac zbudowany został w XIX w. przez armatora Thomasa Dobréego. Zapalony zbieracz zgromadził w nim mnóstwo eksponatów – broń, obrazy, meble, gobeliny itp., a także dokumentację *Voyages à la Chine*, przeprowadzonych przez jego ojca w latach 1816–1827, rue Voltaire 18, wt.–pt. 13.30–17.30, sb. i nd. 14.30–17.30.

GASTRONOMIA

La Cigale

Lokal uchodzi za najpiękniejszą *brasserie* Francji. Uczta dla oka i podniebienia! Place Graslin 4, ☎0251849494, www.lacigale.com, czynne codz., €.

Les Petits Saints

U „małych świętych", w przepięknych zabudowaniach klasztornych, można delektować się m.in. świetnie przygotowanymi owocami morza. Umiarkowane ceny, place St-Vincent 1, ☎0240202448, czynne codz., €.

San Francisco

Nad brzegiem Loary, z tarasem. Dobra kuchnia, głównie potrawy

Raj dla bibliofilów

Cité de Livre to prawdziwa kopalnia
książkowych skarbów

Z sześciu europejskich „miast książek" aż dwa znajdują się we
Francji: Bécherel w Bretanii oraz Montolieu w Langwedocji-
-Roussillon. W obu przypadkach specjalizacja ta pomogła
wyrwać się miejscowości z zastoju, który objawiał się m.in.
spadkiem zaludnienia. Pomysł polegał na stworzeniu miejsca,
w którym kolekcjonerzy z całego świata mogliby zdobyć
poszukiwane rzadkie wydania i inne bibliofilskie rarytasy.
Z tego powodu w Bécherel i Montolieu działa aż 15 księgarni
i antykwariatów, organizowane są również imprezy związane
z czytelnictwem, np. *Fête du Livre* (Bécherel, weekend
wielkanocny) czy *Salon du livre ancienne et de collection*
(Montolieu, weekend zielonoświątkowy). Wizyta w obu
miastach będzie z pewnością interesująca nie tylko dla
miłośników słowa pisanego.

regionale, chemin Bateliers 3, ☎0240495942, VIII nd. po południu i pn. zamkn., €€.

-Jacques-Rousseau 16, *Café de l'Île*, quai de Versailles 19, lub *Le Tie Break*, rue des Petits-Écuries 1.

NOCLEGI

Beaujoire Hôtel
Nowoczesny budynek z jasnymi, ładnie urządzonymi pokojami. 42 pokoje, rue Pays-de-la-Loire 15, ☎0240930001, fax 0240689832, €.

Grand Hôtel Mercure
Wielki gmach w środku miasta. 134 pokoje różniące się komfortem, rue Coëdic 4, ☎0251821000, fax 0251821010, €€€.

ŻYCIE NOCNE

W godzinach wieczornych ulubionym miejscem spotkań w centrum stają się nastrojowe tarasy kawiarniane oraz tzw. ✗ *cafés-concerts*, m.in. *Les Fesselles*, allée Fesselles 3, *Le Pub Univers*, rue Jean-

INFORMACJA

Office de Tourisme
Place du Commerce, ☎024020 6000, fax 0240891199, www.nantes-tourisme.com.

ÎLE D'OLÉRON

[170 B1–2] Trzykilometrowy most prowadzi do największej po Korsyce wyspy Francji, w departamencie Charente-Maritime. Île d'Oléron (16 tys. mieszk.) ma 30 km długości i ze swymi otoczonymi przez wydmy, malowniczymi plażami i pięknymi lasami uchodzi za prawdziwą perłę wśród nadatlantyckich kąpielisk. Wygodne noclegi oferuje *Hôtel Floratel*, 50 pokoi, Dolus-d'Oléron, route Boyardville, ☎0546751995, fax 0546751996, €€. Na stałym lądzie, 11 km przed mostem, położone jest Brouage. Niegdyś bastiony dawnego miasta portowego (500 mieszk.) obmywały morskie fale. Już w średniowieczu był to żywy ośrodek handlu. Twierdza zawdzięcza swoje powstanie oblężeniu La Rochelle w 1627 r., kiedy miasteczko stało się kwaterą główną kardynała Richelieu.

POITIERS

[170 C1] Stara stolica krainy Poitou (83 tys. mieszk.) znajduje się na położonej na wysokości 50 m n.p.m. równinie, której granice wyznaczają rzeki Clain i Boivre. Dzięki licznym zabytkom architektury, m.in. wielu romańskim kościołom, miejscowość cieszy się we Francji opinią „miasta sztuki". Do historii powszechnej Poitiers przeszło jako miejsce decydującej dla Europy bitwy z 732 r., w której Karol Młot uratował Francję przed podbojem muzułmańskim. W centrum Starego Miasta skupiły się najważniejsze zabytki, przede wszystkim katedra St-Pierre (1166–1271) z bogato zdobionymi portalami. Wnętrze świątyni prezentuje się niezwykle majestatycznie, szczególnie piękna jest rozeta o 16 promieniach, rzeźbione stalle w chórze i empora organowa.

Nie mniejszą wartość ma Baptistère St-Jean, najstarsza zachowana chrześcijańska budowla sakralna Francji. Wzniesiona w latach 356–368 na starożytnych fundamentach, została w VII i XI w. uzupełniona o absydę i przedsionek. We wnętrzu zachowały się freski z przełomu XII i XIII w. Dobry standard zapewnia *Hôtel Europe*, 83 pokoje, rue Carnot 39, ☎0549881200, fax 05498 89730, €€.

★ ✗ „Europejski park obrazu i komunikacji" Le Futuroscope,

Tylko w MARCO POLO

Futuroscope pod Poitiers – wizja przyszłości

8 km na północ od Poitiers, oferuje atrakcje godne jego nazwy: Kinémax – panoramiczny ekran kinowy (360°), Tapis Magique – magiczny dywan, Aquascope i in., IV–pocz. XI 10.00–22.30, pozostałe miesiące 10.00–18.00. W piękniej wiosce Angles sur l'Anglin, 45 km na północny wschód, zaprasza zaciszny gościniec *Relais du Lyon d'Or*, 12 pokoi, ☎0549483253, fax 0549840228, www.lyondor.com, €€.

Tylko w MARCO POLO

RENNES

[166 C4] Rennes (210 tys. mieszk.) jest gospodarczym i kulturalnym centrum Bretanii. Sporą część starówki strawił w 1720 r. pożar, miejscowość ucierpiała również poważnie podczas II wojny światowej. Nic dziwnego, że nowoczesne Rennes ma do zaoferowania miłośnikom dawnej architektury nieco mniej niż inne francuskie miasta. Wyjątkiem jest piękny place du Palais, przy którym stoi Palais de Justice, wzniesiony w latach 1618–1654 i odrestaurowany po wielkim pożarze w 1994 r. Cennym zbiorem malarstwa może pochwalić się Musée des Beaux-Arts, a wyczerpujących informacji o historii i kulturze regionu dostarcza Musée de Bretagne, oba codz. oprócz wt. 10.00–12.00 i 14.00–18.00. Noclegi oferuje hotel *Nemours*, 26 pokoi, rue Nemours 5, ☎0299782626, fax 0299782540, €–€€.

LA ROCHELLE

[170 B1] 🏃 Zmęczeni zatłoczonym Lazurowym Wybrzeżem docenią uroki La Rochelle (120 tys. mieszk.) i sąsiedniej Île de Ré. Zwane niegdyś „Genewą Atlantyku" stare portowe miasto, z portem rybackim (Vieux Port) i przystanią jachtową, jest dziś popularnym kąpieliskiem. Urlopowiczów zachwyci z pewnością jego uroda: otoczone arkadami ulice i piękne XVIII-wieczne domy, oraz zainteresuje oferta znakomitych muzeów. Musée du Nouveau-Monde we wspaniałych wnętrzach starego pałacu Hôtel de Fleuriau prezentuje historię dawnych posiadłości francuskich w Ameryce (śr.–sb. 10.30–12.30 i 13.30–18.00, nd. 15.00–18.00). Dużo radości spra-

Z murów obronnych St-Malo roztacza się wspaniała panorama morza

Na rozległych, słonych łąkach wokół Mont-St-Michel pasą się owce

wia wizyta w ✈ Musée des Automates, rue de la Désirée, latem codz. 9.30–19.00. Musée des Beaux--Arts w starym pałacu biskupim, rue Gargoulleau 28, szczyci się wyborną kolekcją malarstwa (śr.–pn. 14.00–17.00). Dobrą kuchnię oferuje *Richard Coutanceau*, plage de la Concurrence, ☎0546414819, nd. zamkn., €€–€€€, a wygodny nocleg – hotel *Les Brises*, 46 pokoi, chemin digue Richelieu, ☎05464 38937, fax 054643 2797, €€–€€€. Na piękną Île de Ré (11 tys. mieszk.), zwaną także „Saint-Tropez Atlantyku", prowadzi płatny most o długości 2,9 km. Urocze plaże, rozbudowana sieć tras rowerowych i sosnowe lasy czynią z wyspy prawdziwy raj.

SAINT-MALO

[166 C4] ★ Wiernie odbudowany po zniszczeniach II wojny światowej dawny port korsarski (52 tys. mieszk.) na Côte d'Émeraude (Bretania) mógłby być idealną scenerią filmów przygodowych. Spacerując po wyrastających nad samym brzegiem morza obwarowaniach obronnych, łatwo można się przenieść wyobraźnią w czasy piratów. St-Malo żyło także, najzupełniej legalnie, z transportu i handlu morskiego; uważa się, że jego armatorzy byli pierwszymi kapitalistami w Bretanii. Miejskie muzea jeszcze raz przywołują minione dni. Musée d'Histoire de la Ville, w *château*, ukazuje awanturniczą przeszłość korsarskiego miasta. Warto odwiedzić wspaniałe akwarium Mystères de la Mer, www.aquarium-st-malo.com, latem codz. 9.00–20.00, poza sezonem 10.00–18.30. Na przedmieściach St-Servan zaprasza interesujące Musée International du Long Cours Cap-Hornier, poświęcone wyprawom do przylądka Horn (oba muzea codz. 10.00–12.00 i 14.00–18.00, zimą pn. zamkn.). Godny rekomendacji jest hotel *Cité* w starej części miasta,

41 pokoi, rue Ste-Barbe 26, ☎0299 405540, fax 0299401004, www.hotelcite.com, €.

Mont-Saint-Michel   **[167 D4]**
★ Zwiedzanie słynnej góry klasztornej (70 mieszk., 48 km na wschód od St-Malo) w miesiącach letnich jest dość wyczerpujące ze względu na tłumy turystów. „Cud Zachodu" zasługuje z pewnością na swą nazwę: wraz z posągiem Michała Archanioła na iglicy wieży klasztor wzbija się nad powierzchnią oceanu na wysokość 155,5 m. Budowę kościoła opackiego rozpoczęto w 1020 r. Nawa główna i transept są romańskie, chór powstał w latach 1450–1521 w stylu gotyckim. Kręconymi schodami można się dostać na ↘↗ zewnętrzny taras absydy, skąd roztacza się niesamowity widok na wschód i północ. Escalier de Dentelle (Schody Koronkowe) prowadzą poprzez jedną z przypór chóru do ↘↗ zewnętrznej galerii na wysokości 120 m nad poziomem morza. Północne skrzydło opactwa nosi nazwę La Merveille (dosł. cud). Zbudowano tu Salle des Chevaliers – czteronawową salę rycerską o długości 26 m, Crypte des Gros Piliers, refektarz i krużganki z 220 granitowymi kolumnami (1225–1228). W Musée Maritime, rue Principale, w sezonie codz. 9.00–18.30, w fascynujący sposób przedstawiono zmienną historię klasztoru. Obecnie planuje się przywrócenie górze pierwotnego, wyspiarskiego charakteru i zlikwidowanie łączącej ją z lądem grobli (www.projetsaintmichel.fr).

[170 B2] Dobrze zachowany łuk triumfalny Germanikusa oraz amfiteatr świadczą o dawnej obecności Rzymian w położonej nad Atlantykiem stolicy (26 tys. mieszk.) prowincji Saintonge. Łuk pochodzi z 19 r. p.n.e., a amfiteatr – z pierwszego lub drugiego stulecia po Chrystusie. W romańskiej krypcie XI-wiecznego kościoła Saint-Eutrope spoczął św. Eutropiusz, pierwszy biskup Saintes. W dawnym opactwie Abbaye aux Dames warto zobaczyć wyświęcony w 1047 r. kościół wyróżniający się bogato zdobionym portalem. Miłośnicy fajansów powinni się udać do Musée Municipal, rue Monconseil 4. Uwagę przykuwają sale z pięknymi meblami z XVIII w., a także rekonstrukcja typowego dla regionu Saintonge wnętrza i znakomity zbiór instrumentów muzycznych. Codz. oprócz pn. oprowadzanie: latem 14.00, 15.00 i 16.00. Posilić można się w *Bistrot Galant*, rue St-Michel 28, ☎0546930851, nd. wieczór i pn. zamkn., €. W centrum zaprasza stylowy hotel *Messageries*, 34 pokoje, rue Messageries, ☎0546936499, fax 0546921434, €.

[167 E5] ★ Panorama miasta (30 tys. mieszk.) należy do najpiękniejszych nad Loarą. Położone w połowie drogi między Orleanem a Nantes, znane jest dzięki andegaweńskiemu winu oraz założonej w 1763 r. szkole kawalerii, której rotmistrze wywodzą się ze słynnej

Cadre Noir. Dostojny *château* zbudowany został w XIV w. na fundamentach wcześniejszej warowni. Książę Andegawenii René d'Anjou (1409–1480), zwany „dobrym królem", kazał przebudować swój Castel d'Amour we wspaniałym stylu dojrzałego gotyku. W związku z wojnami religijnymi budowlę ponownie przekształcono w twierdzę pod koniec XVI w.

Na pierwszym piętrze zamku w Saumur mieści się Musée d'Arts Décoratifs, na drugim – Musée du Cheval, oba codz. VI–IX 9.30–18.00, poza sezonem 9.30–12.00 i 14.00–17.30. Atutem *Loire Hôtel*, 40 pokoi, rue Vieux-Port, ☎0241 672242, fax 0241678880, €€–€€€, jest lokalizacja nad brzegiem Loary.

Warte wycieczki jest Fontevraud l'Abbaye (XI w.), 16,5 km na południowy wschód, które uchodzi za największy kompleks klasztorny we Francji. W romańskim kościele opacim w pięknych, rzeźbionych grobowcach pochowano króla Henryka II wraz z małżonką Eleonorą Akwitańską, jego syna Ryszarda Lwie Serce oraz bratową Izabelę z Angoulême. Opactwo składało się pierwotnie z pięciu klasztorów, z których do dziś przetrwały jedynie trzy. Oprócz kościoła opackiego do zwiedzania udostępniono kapitularz z XVI-wiecznymi freskami, słynną kuchnię Tour Évraud z XII w. oraz romański refektarz; codz. VI–IX 9.00–18.30, poza sezonem 10.00–17.30 lub 18.00. W dawnym klasztorze Saint Lazare, służącym wcześniej chorym i trędowatym, urządzono hotel *La Prieuré Saint-Lazare*, 52 pokoje, ☎0241517316, fax 024 1517550, €€.

VALENÇAY

[167 E5] „To jedno z najpiękniejszych miejsc na ziemi; żaden król nie posiada bardziej malowniczego ogrodu" – pisała George Sand o zamku w miasteczku Valençay (2,7 tys. mieszk.). Rezydencja, odbudowana w poł. XVI w. przez Jacques'a d'Étampes'a, zachowała w czysto dekoracyjnej formie elementy obronne dawnej budowli, łącząc je z wpływami wczesnego renesansu włoskiego. Na początku XIX w. pałac był własnością słynnego ministra i dyplomaty Charles'a Maurice'a de Talleyranda. Udostępnione do zwiedzania sale i komnaty mają piękny wystrój z epoki. Oprowadzanie IV–pocz. XI codz. 9.30–18.00 lub 19.30.

Tylko w MARCO POLO

VANNES

[16 C5] Spacer wśród średniowiecznych uliczek miasta (53 tys. mieszk.) i domów z pruskiego muru będzie miłym urozmaiceniem urlopu nad Golfe du Morbihan, na południowym wybrzeżu Bretanii. Warto też wpaść do Musée de La Cohue na pierwszym piętrze hal targowych, Musée des Beaux-Arts ze zbiorami malarstwa i mebli oraz Museé du Golfe du Morbihan z ekspozycją dotyczącą rybołówstwa oraz hodowli ostryg i małży (codz. oprócz nd. przed południem latem 10.00–18.00, poza sezonem 10.00–12.00 i 14.00–18.00).

Rozkosze podniebienia oferuje *Régis Mahé-Le Richemont*, place de la Gare, ☎029742 6141, nd. i pn. zamkn., €€–€€€. Nieco taniej jest w *Le Pavé des Halles*, rue des Halles 17, ☎0297540834, €–€€.

Przygoda i radość życia

Burgundia to kraj romańskich kościołów i świetnej gastronomii. Surowy, górski krajobraz Owernii przyciąga miłośników przyrody

Ś rodkowa Francja jest bardzo atrakcyjna: tam właśnie leży Burgundia (Bourgogne), skarbiec sztuki romańskiej oraz kraina duchowych i cielesnych rozkoszy. W samym jej środku znajduje się niezwykły pod każdym względem obszar: wspaniała dolina Loary między Orleanem i Tours, gdzie słynne zamki sąsiadują z sobą niczym perły w naszyjniku: Amboise, Azayle-Rideau, Blois, Chambord, Chenonceau...

Ta część Francji, która graniczy od południa z doliną Loary, to pod względem geograficznym serce państwa, prozaicznie nazywane *centre*. W starej krainie Berry ze stolicą w Bourges pola przeplatane zieleniącymi się pastwiskami ciągną się aż po horyzont. Miłośnicy natury docenią z pewnością uroki malowniczego, a rzadko odwiedzanego przez turystów Limousin ze stolicą w Limoges. Jeszcze bardziej dziewicza jest położona na wschodzie Owernia (Auvergne) z Masywem Centralnym. Dziki, rozległy krajobraz górski zachwyca swoistym pięknem; warto przemierzyć region samochodem lub na piechotę, bo do zobaczenia jest tu naprawdę bardzo wiele – od

*Charakterystyczne dachówki Hôtel-
-Dieu w Beaune*

Plantacja winorośli w Burgundii

wygasłych wulkanów Monts Dômes i Monts Dore aż po Massif du Cantal nieco dalej na południe.

AMBOISE

[167 F5] Na lewym brzegu Loary, ponad miastem o tej samej nazwie (11,5 tys. mieszk.) wznosi się zamek Amboise. Urodzony tu Karol VII doprowadził do końca prace budowlane, rozpoczęte przez swego ojca. Za panowania Franciszka I Amboise stało się jedną z najświetniejszych rezydencji w kraju. W roku 1515, po zwycięskiej kampanii włoskiej, król sprowadził do miasta Leonarda da Vinci i w sąsiadującym z zamkiem budynku Clos-Lucé urządził mu mieszkanie oraz pracownię. Genialny artysta zmarł w Amboise w 1519 r.; zwiedzanie *château* oraz muzeum autora *Ostatniej Wieczerzy* w rezydencji Manoir du Clos-

-Lucé, www.vinci-closluce.com, latem codz. 9.00–19.00 lub 20.00. Dobry wypoczynek gwarantuje uroczy i komfortowy hotel *Blason*, 28 pokoi, place Richelieu 11, ☎0247232241, fax 0247575618, www.leblason.fr, €.

AUTUN

[172 C1] ★ Małe, średniowieczne burgundzkie miasteczko (16,5 tys. mieszk.) zachowało liczne pamiątki po Rzymianach, m.in. bramy miejskie, teatr i świątynię. W tympanonie głównego portalu katedry St-Lazare można podziwiać średniowieczne arcydzieło rzeźbiarskie wykonane ok. 1135 r. przez mistrza Gislebertusa, przedstawiające Sąd Ostateczny. Cenne rzeźby znajdują się także w kapitularzu kościoła oraz w Musée Rolin, latem codz. oprócz wt. 9.30–12.00 i 13.30–18.00. Zaciszne miejsca oferuje hotel *Les Ursulines*, 43 pokoje, rue Rivault 14, ☎0385865858, fax 0385862307, €€–€€€.

ATRAKCJE W OKOLICY

Château Chinon [172 C1]
Burmistrzem burgundzkiego miasteczka (2,7 tys. mieszk.) nad rzeką Morvan był w latach 1959–1981 François Mitterrand. Wiele cennych podarunków, które prezydent Francji otrzymywał podczas podróży zagranicznych, gromadzono od 1986 r. w Musée Septennat w dawnym klasztorze Klarysek w Château Chinon, 50 km na północny zachód od Autun. Dziś w 17 salach muzeum można podziwiać skarby z całego niemal świata (latem codz. 10.00–19.00).

AUXERRE

[168 C5] Najpiękniejsza panorama miasta (40 tys. mieszk.) roztacza się ✸ z brzegów Yonne. Budowę katedry St-Étienne rozpoczęto w 1215 r., krypta pochodzi jednak jeszcze z IX w. Przy zabudowanej średniowiecznymi kamienicami rue de l'Horloge wznosi się wspaniała gotycka dzwonnica. Nocleg oferuje przyjemny *Hôtel du Cygne*, 30 pokoi, rue du 24 Août 14, ☎0386522651, fax 0386516833, €€.

AVALLON

[168 C5] Bastiony i wieże obronne położonego wśród wzgórz północnej Burgundii miasteczka (9 tys. mieszk.) przypominają, że za czasów księstwa Burgundii miało ono strategiczne znaczenie. Najwięcej średniowiecznych zabytków zachowało się w wysoko zlokalizowanej części staromiejskiej. Wieża Beurdelaine została wzniesiona w 1404 r. przez księcia Jana Nieustraszonego. Także Tour d'Horloge (XV w.) pełniła funkcję wieży obserwacyjnej, mimo że nie stoi w obrębie murów, lecz przy Grand Rue Aristide Briand. Kilka kroków dalej znajduje się Église St-Lazare (XII w.) z dwoma cennymi portalami romańskimi. W Musée de l'Avallonnais, place de la Collégiale, zgromadzono znaleziska z czasów galijsko-rzymskich i merowińskich, a także obrazy, m.in. Henriego de Toulouse-Lautreca i Georges'a Rouaulta (codz. oprócz wt. 10.00–12.00 i 14.00–18.00). Po zwiedzaniu miasta przyjemnie jest udać się na przejażdżkę przez piękną, zieloną

Vallée du Cousin. Skromny nocleg oferuje *Dak'Hôtel*, 26 pokoi, route Saulieu, ☎0386316320, fax 0386 342528, €. Bardzo romantycznie jest za to w dawnym młynie – *Hostellerie Moulin des Ruats*, 24 pokoje, 6 km w głąb doliny Cousin, ☎0386 349700, fax 0386316547, www. moulin-des-ruats.com, €€.

z wież zamku urządzono Musée Daniel Vannier, codz. III–X 10.00–12.00 i 14.00–18.00. Warto polecić *Hôtel de la Sologne*, 16 pokoi, place de St-Firmin, ☎02384 45027, fax 0238449019, www.hoteldelasologne.com, €–€€.

Beaugency

[168 A5] Miasteczko nad Loarą (5,1 tys. mieszk.) zachowało wiele ze średniowiecznego czaru i renesansowego piękna, m.in. Hôtel de Ville (1526 r.), Maison des Templiers z romańską fasadą (rue du Puits) oraz kościół St-Étienne (XI w.). Uroczy, były kościół opacki Notre Dame z pierwszej połowy XII w. został przebudowany w 1567 r. Obok kościoła wznosi się Château de Dunois. W jednej

Beaune

[169 D6] ★ W mieście wina i sztuki, położonym na Côte-d'Or (21 tys. mieszk.), główną atrakcją jest słynny Hôtel-Dieu. Zbudowany w 1451 r. gmach służył jako szpital aż do 1971 r. W Grande Salle (muzeum) podziwiać można ołtarz szafiasty autorstwa Rogera van der Weydena z wyobrażeniem Sądu Ostatecznego (1443–1451). Oprowadzanie codz. kon. III–poł. XI 9.00–18.30. Interesujące zbiory prezentuje Musée du Vin w Hôtel des Ducs de Bourgogne,

Lista przebojów Marco Polo „Francja środk. i Masyw Centr."

★ **Beaune**
Splendor dawnej rezydencji książęcej i smak znakomitego wina. (s. 79)

★ **Autun**
Fascynujące dzieła dłuta genialnego mistrza. (s. 78)

★ **Dijon**
Wspaniała rezydencja książąt burgundzkich. (s. 83)

★ **Azay-le-Rideau**
Uroda renesansowego zamku na wodzie lśni pełnym

blaskiem podczas spektaklu „światło i dźwięk". (s. 90)

★ **Fontenay**
Słynne burgundzkie opactwo: niczym niezmącona klasztorna atmosfera. (s. 84)

★ **Vulcania**
Gorące źródła i „podróż" w głąb Ziemi. (s. 83)

★ **Vézelay**
Romańska bazylika i arcydzieła sztuki rzeźbiarskiej. (s. 91)

dawnym pałacu książąt Burgundii, codz. oprócz wt. 9.30–17.00. Nieopodal muzeum wznosi się Basilique Collégiale Notre Dame (XII–XV w.), jedna z siostrzanych świątyń opactwa w Cluny. Warto zwrócić uwagę na wspaniałe gobeliny ze scenami z życia Maryi w chórze kościoła. Miłych wrażeń dostarczy spacer wzdłuż pozostałości Remparts des Dames, północnego odcinka murów miejskich. Na nocleg można śmiało polecić przede wszystkim *Le Cep*, 57 pokoi, rue Maufoux 27, ☎038022 3548, fax 0380227680, www.hotel-cep-beaune.com, €€€; bardzo dobre warunki oferuje także *Belle Époque*, 16 pokoi, rue du Faubourg--Bretonnière 15–17, ☎0380246615, fax 0380241749, €€.

Bourges

[168 B6] W stolicy (92 tys. mieszk.) krainy Berry już za czasów Cezara mieszkało podobno 40 tys. ludzi. Dziś dziesiątki tysięcy przyciąga kwietniowy 🏃 festiwal muzyczny *Printemps de Bourges*. O żadnej porze roku turystów nie brakuje też w katedrze St-Étienne z XIII w., zaliczanej do najwspanialszych budowli sakralnych Francji. Pięcionawowe wnętrze urzeka niezwykłą harmonią i pięknymi witrażami (XII–XVII w.). Wielkim arcydziełem gotyku jest także Palais Jacques-Cœur (1443–1451) z podobiznami fundatora i jego żony wykutymi we frontowych oknach (oprowadzanie codz. 9.00–13.00 i 14.00–17.00). Do spacerów zachęca piękny Jardin des Près-Fichaud. O nocleg warto postarać się w którymś

z dwóch uroczych hoteli: *Les Tilleuls*, 36 pokoi, place Pyrotechnie 7, ☎0248204904, fax 0248506173, €€, lub *Angleterre*, 31 pokoi, place Quatre-Piliers 1, ☎0248246851, fax 0248652141, €€.

ATRAKCJE W OKOLICY

Nohant Vic [168 A6]

W niewielkim, skromnym zamku, 72 km na południowy zachód od Bourges, mieszkała George Sand (1804–1876). Od momentu jej śmierci wszystko pozostało tu bez zmian; w Nohant bywały takie ówczesne sławy, jak bliski przyjaciel pisarki Fryderyk Chopin, a także Honoriusz de Balzac, Franciszek Liszt i Eugène Delacroix. Nadzwyczaj ładnie prezentuje się malutki teatr marionetek, zaprojektowany przez Chopina.

Chenonceau

[167 F5] Czarujący renesansowy zamek (1512–1521), który dumnie przegląda się w spokojnych wodach Cher, nie przypadkiem zwany jest zamkiem kobiet. Małżonek Katarzyny Bohiers, z zawodu poborca podatkowy, przekazał środki na budowę rezydencji, ale to właśnie żona podejmowała decyzje o jej wyglądzie. Kolejna właścicielka, Diana de Poitiers, która otrzymała Chenonceau w 1547 r. jako faworyta Henryka II, kazała wznieść łukowy most ponad Cher i założyła ogrody. Po śmierci monarchy musiała ona jednak na życzenie królewskiej wdowy, Katarzyny Medycejskiej, przenieść się do skromniejszego Château Chaumont. Nowa pani zostawiła po so-

Podobizna Ludwika XIV w zamku Chenonceau

bie piękną galerię przerzuconą nad rzeką. Po niej na zamku mieszkała Ludwika Lotaryńska, zwana „Reine Blanche". Wdowa po Henryku III (znanym w Polsce jako Henryk Walezy) kazała na znak żałoby pomalować wszystkie sufity na czarno-biało. Chenonceau przeszło ostatecznie w 1863 r. gruntowną renowację z polecenia niejakiej Madame Pelouze. Obejrzeć można m.in. sypialnię Katarzyny Medycejskiej, salon Ludwika XIV i pokój Diany, w którym uwagę zwraca obraz Francesca Primaticcia przedstawiający właścicielkę jako piękną boginię polowań. Latem codz. 9.00–19.00, poza sezonem 9.00–17.30 lub 17.00, www.chateauchenonceau.com.

CHEVERNY

[167 F5] Zamek, zbudowany w pierwszej połowie XVII w., już z zewnątrz sprawia bardzo maje-

statyczne wrażenie. Prawdziwe zaskoczenie czeka jednak tych, którzy zajrzą do środka. Żaden inny zamek nad Loarą nie może się pochwalić tak wspaniałymi wnętrzami, być może dlatego, że rodowa siedziba hrabiów Hurault wciąż znajduje się w ich posiadaniu. Latem codz. 9.15–18.45, www.chateau-cheverny.com.

CHINON

[167 E5] Krajobraz tego średniowiecznego miasta (8,7 tys. mieszk.) nad rzeką Vienne zdominowany jest przez trzy sąsiadujące ze sobą *château*. Zamki są świadectwem dramatycznych dziejów miejscowości i pamiętają czasy, gdy Chinon było królewską rezydencją oraz stolicą Francji. W Château du Milieu, zamku środkowym, król Karol VII przyjął w 1429 r. Joannę d'Arc, która wezwała go do walki przeciw Anglikom. Latem codz. 9.00–19.30, poza sezonem 9.00–18.30. Musée du Vieux Chinon, latem codz. 10.00–12.30 i 14.30–19.00, mieści się w Maison des États Générales, gdzie w 1428 r. Karol VII zwołał Stany Generalne wiernych mu prowincji. W domu tym zmarł podobno w 1199 r. Ryszard Lwie Serce. Poza zbiorami średniowiecznymi muzeum ma także portret humanisty François Rabelais'go, twórcy *Gargantui i Pantagruela*, wykonany przez Eugène'a Delacroix (Rabelais urodził się ok. 1494 r. we wsi La Dévinière, 8 km na zachód od Chinon).

CLERMONT-FERRAND

[172 B2] Pierwsze wrażenie jest niezbyt korzystne: mimo bardzo pięknego położenia na zboczu sięgającego 1000 m n.p.m. ⬆ szczytu Monts Dômes przemysł wyraźnie dominuje w krajobrazie miasta (137 tys. mieszk.). We wznoszącej się na wzgórzu dzielnicy staromiejskiej zachowało się jednak stare Clermont-Ferrand z malow-

niczymi uliczkami (rue des Gras, rue Pascal) i ślicznymi, wiekowymi kamieniczkami. Wyjątkowej urody są też dwie świątynie: centralnie zlokalizowana, gotycka katedra Notre Dame, zbudowana z czarnego kamienia wulkanicznego, oraz romańska bazylika Notre-Dame-du-Port. Warto spróbować dobrej, regionalnej kuchni w restauracji *Gerard Anglard*, rue Lamartine 17, ☎0473935225, sb. po południu zamkn., €–€€, a przenocować – np. w *Holiday Inn Garden Court*, 94 pokoje, boulevard François Mitterrand 59, ☎047317 4848, fax 0473355847, www.holiday-inn.fr, €€€.

ATRAKCJE W OKOLICY

Mont-Dore [172 B3]
Już starożytni Rzymianie leczyli podagrę w gorących źródłach dzisiejszego kurortu i ośrodka sportów zimowych (2,4 tys. mieszk.) w Parc Naturel des Volcans d'Auvergne. Miasto, osiadłe na brzegu górnej Dordogne, u stóp Puy de Sancy (1886 m n.p.m.), od 1890 do 1994 r. miało oficjalny status

Chinon – widok na château z przeciwległego brzegu rzeki Vienne

uzdrowiska. Fascynującą wirtualną podróż do wnętrza Ziemi umożliwia zlokalizowany na powulkanicznym terenie, otwarty w 2002 r. europejski park wulkaniczny ★ Vulcania, www.vulcania.com. Futurystycznie stylizowany kompleks czynny jest w sezonie oprócz pn. i wt. 9.00–19.00, poza sezonem 9.00–18.00. 15 km na zachód od Clermont-Ferrand.

Riom   [172 B2]

W wybudowanym z kamienia lawowego mieście (18,5 tys. mieszk., 15 km na północ od Clermont-Ferrand), dawnej stolicy Owernii, jest ponad sto budynków znajdujących się pod ochroną konserwatorską, co czyni z niego wielkie muzeum pod gołym niebem. W kościele Notre-Dame-du-Marthuret warto zwrócić szczególną uwagę na bardzo piękną *Madonnę z ptakiem* (*Vierge à l'Oiseau*) z XIV w. Życie w Owernii dokładnie ilustruje Musée d'Auvergne, rue Delille, codz. oprócz wt. 10.00–12.00 i 14.00–17.30 lub 18.00. Musée Mandet, rue de l'Hôtel de Ville, prezentuje interesujące zbiory malarstwa międzynarodowego różnych szkół, a także rzemiosło i sztukę średniowieczną (godziny otwarcia jak wyżej).

CLUNY

[172 C1] „Cud świata zachodniego" – tak nazywano założone w 910 r. opactwo benedyktyńskie, dopóki nie zostało ono zniszczone w czasach rewolucji. Z dawnego centrum chrześcijaństwa, potężnego opactwa St-Pierre-et-St-Paul, do dziś przetrwała tylko jedna z pięciu dzwonnic, Clocher de l'Eau Bénite, południowa część transeptu (32 m wysokości), mnisi spichlerz i Chapelle de Bourbon. Kościół, którego budowę rozpoczął w 1088 r. opat Hugo, był po rzymskiej Bazylice św. Piotra największą świątynią Zachodu. W czasach rozkwitu Cluny podlegało 3 tys. „siostrzanych" kościołów i opactw w całej Europie. Po okresie upadku klasztor został w czasach rewolucji francuskiej zamknięty, a kościół zdewastowany. Musée d'Art et d'Archéologie w dawnym pałacu opackim Jana Burbona prezentuje wykopaliska z ruin i cenne starodruki. Latem codz. 9.00–19.00, poza sezonem 9.30–12.00 i 14.00–18.00.

DIJON

[169 D6] ★ Dawna stolica księstwa Burgundii (150 tys. mieszk.) to jeden z najbardziej atrakcyjnych ośrodków regionalnych we Francji. Niszczejące domy z pruskiego muru stoją obok eleganckich, renesansowych gmachów, wąskie zaułki kończą się skąpanymi w słońcu placami. Spacer po Dijon jest szczególnie przyjemny w weekendy, kiedy ruch samochodowy staje się mniej intensywny. Z czasów, gdy burgundzcy książęta szczycili się jednym z najświetniejszych dworów w Europie, pozostały w spadku niepowtarzalne arcydzieła. Fragmenty starego pałacu książęcego zachowały się w Palais des Ducs przy centralnym place de la Libération. W jego wschodnim skrzydle urządzono znakomite Musée des Beaux-Arts, codz. oprócz wt. 9.30–18.00, ze

zbiorami rzeźby, niezwykłym na-
grobkiem Filipa Śmiałego (zm.
1404 r.) w Salle des Gardes oraz
wielką galerią malarstwa.

W podmiejskich ogrodach
kompleksu Chartreuse de Champ-
mol, niegdyś miejsca książęcych
pochówków, a obecnie siedziby
kliniki psychiatrycznej, znajduje
się słynna Studnia Mojżesza
(1404 r.) wyrzeźbiona przez Clau-
sa Slutera. Smakosze powinni
udać się m.in. do *Le Pré au Clercs*
(J.-P. Billoux), place de la Libération 13, ☎0380380505, nd. po południu i pn. zamkn., €€–€€€,
oraz do *Thibert*, place Wilson 10,
☎0380677464, €€–€€€. Wygod-
ne noclegi zapewnia *Libertel Philippe Le Bon*, 29 pokoi, rue Ste-Anne 18,
☎0380307352, fax 0380309551,
€€, lub hotel *Jacquemart*, 30 pokoi, rue Verrerie 32, ☎0380600960,
fax 0380600969, €–€€.

ATRAKCJE W OKOLICY

Fontenay [168 C5]
★ Najlepiej zachowane opactwo
Cystersów w Burgundii, założone
w 1118 r. przez Bernarda z Clairvaux, wznosi się w cichej dolinie,
75 km na południowy zachód od
Dijon. W przeciwieństwie do innych klasztorów (m.in. Cluny),
Fontenay przetrwało niespokojne
lata rewolucji francuskiej niemal
nienaruszone, ponieważ przekształcono je w fabrykę papieru.
W pełni odrestaurowane opactwo, obecnie w rękach prywatnych, zadziwia spójnością archi-
tektonicznej formy. VII–VIII
codz., 10.00–12.00 i 14.00–17.30,
pozostałe miesiące 10.00–12.00
i 14.00–17.00, oprowadzanie co
godzinę.

G<small>IEN</small>

[168 B5] Niewielkie miasto nad Loarą (15,3 tys. mieszk.) od dawna nazywane jest „stolicą polowań" – wizyta w Musée International de la
Chasse à Tir et de la Fauconnerie,
latem 9.00–18.00, pozwala zrozu-
mieć, dlaczego. Siedzibą muzeum
jest *château* z końca XV w., górujący nad Starym Miastem. Ponieważ
słynne są także miejscowe fajanse,
nie wolno przegapić wizyty w Musée de la Faïencerie, place de la Victoire, pn.–sb. 9.00–12.30 i 13.30–
18.30, nd. od 10.00. Wygodę i piękny widok na Loarę zapewnia hotel
Rivage, 16 pokoi, quai Nice 1, ☎023
8377900, fax 0238381021, €€.

L<small>IMOGES</small>

[172 A2] Miasto (175 tys. mieszk.),
malowniczo położone na pagórko-
watych wyżynach regionu Limousin, cieszy się światową sławą jako
znane już od średniowiecza centrum
sztuki emalierskiej. Od XIX w. po-
wstawały tu także liczne manufak-
tury porcelany. Odwiedzić warto
dwa interesujące muzea: Musée National Adrien-Dubouché, place Win-
ston Churchill, latem codz. 10.00–
17.45, z mniej więcej 10 tys. eksponatów ceramicznych z kraju i zagranicy, oraz Musée Municipal de
l'Évêché (koło katedry) z około
300 wyrobami emaliowanymi od
XII w. do czasów dzisiejszych, codz.
oprócz wt. 10.00–11.45 i 14.00–
18.00. Budowa katedry St-Etienne
została rozpoczęta w 1273 r., lecz
ukończoną ją dopiero w XIX w.
W mieszczącej się w szachulcowym
domu restauracji *L'Amphitryon*, rue

Boucherie 26, ☎0555333639, €–€€, jada się na szlachetnej porcelanie z Limoges. Wygodne noclegi oferuje *Interhotel St-Martial*, 30 pokoi, rue A.-Barbès 21, ☎0555777529, fax 0555 792760, €–€€.

LOCHES

[167 F5–6] Otoczone potrójnym pierścieniem umocnień miasto (6,5 tys. mieszk.) w dolinie Indre niemal się nie zmieniło od czasów średniowiecza. W XV w. rezydowali w nim francuscy królowie. Panujący nad miastem *château* z potężną wieżą i niemal 2-kilometrowymi murami uchodzi za jedną z największych warowni Francji. Do zwiedzania udostępnione są Logis Royal oraz donżon. W 1429 r. Joanna d'Arc przekonała tu króla Karola VII do dokonania koronacji. W zamku mieszkała piękna faworyta monarchy, Agnès Sorel; po śmierci w 1450 r. została pochowana w piwnicach wolno stojącej wieży z XIII w. W kompleksie działają obecnie dwa muzea: Musée du Terroir oraz Musée Lansyer; to drugie prezentuje dzieła malarza Emmanuela Lansyera (XIX w.) i artystów zagranicznych. Codz. 9.30–18.00, VII–VIII do 19.00. Amatorom stylowych wnętrz przypadnie do gustu stary hotel *George Sand*, 20 pokoi, rue Quintefol 39, ☎0247593974, fax 0247915575, €–€€.

MÂCON

[173 D2] Ważny ośrodek przemysłu winiarskiego (36 tys. mieszk.) jest głównym miastem południowej Burgundii. Jego nazwę nosi także lokalny gatunek wina, który uchodzi za równie wyrazisty, co najlepsze burgundy z północy. Choć wzdłuż brzegów Saony (Saône) malowniczo tłoczą się stylowe domy, to Mâcon ma raczej niewiele turystycznych atrakcji, nie licząc Musée de Ursulines w dawnym klasztorze (allée de Matisse, codz. oprócz nd. przed południem oraz pn. 10.00–12.00 i 14.00–18.00). Przy Place des Herbes stoi bogato zdobiony Maison de Bois (XV w.). Warto polecić *Hôtel de Bourgogne*, 50 pokoi, rue Victor-Hugo 6, ☎0385383657, fax 0385386592, €–€€.

MOULINS

[172 B1] Dawne miasto rezydencjalne (18 tys. mieszk.) książąt de Bourbon szczyci się wieloma cennymi zabytkami. Turyści kierują swe kroki przede wszystkim do

Tłumy w centrum Mâcon

gotyckiej katedry Notre Dame ze wspaniałymi XV- i XVI-wiecznymi oknami chóru oraz tryptykiem Mistrza z Moulins (XV w.). Piękny, renesansowy Pavillon d'Anne de Beaujeu należy do Musée d'Art et Archéologie, codz. oprócz wt. 10.00–12.00 i 14.00–18.00. Dobra lokalizacja i komfort to atuty hotelu *Paris-Jacquemart*, 27 pokoi, rue de Paris 21, ☎0470440058, fax 0470340539, www.hoteldeparis-moulins.com, €€–€€€. 50 km na północny wschód od miasta rozpościera się jeden z najpiękniejszych obszarów leśnych Francji, Fôret de Tronçais ze słynnymi, starymi dębami.

Tylko w MARCO POLO

ATRAKCJE W OKOLICY

Bourbon-L'Archambault [172 C1]
Już Rzymianie doceniali właściwości źródeł termalnych pięknie położonego, niewielkiego uzdrowiska, 20 km na wschód od Moulin. Było to gniazdo rodowe Burbonów, jednego z najpotężniejszych rodów panujących Europy, który wydał wielu władców Francji. Górujący nad miastem zamek książąt de Bourbon to malownicza ruina z basztami obronnymi; poniżej wznosi się potężna wieża Quiquengrogne (XIV w.), a nieopodal domy z XV i XVI w. Książęcy standard oferuje *Grand Hotel Montespan-Talleyrand*, 45 pokoi, place Thermes, ☎0470670024, fax 0470671200, €€.

NEVERS

[172 B1] Jako dawne książęce miasto (41 tys. mieszk.) i od 1575 r. miejsce produkcji słynnych fajan-

sów Nevers może poszczycić się uroczą dzielnicą staromiejską. Stara siedziba książąt Nevers urzeka elegancją. Cathédrale St-Cyr-et-Ste-Juliette została wyświęcona w 1331 r.; szczególnie piękne są krypta i absyda pod zachodnim chórem. Zniszczone podczas wojny witraże zostały zastąpione pracami współczesnych artystów. W klasztorze St-Gildard, na północno-zachodnich przedmieściach, szukała schronienia pastuszka Bernadette Soubirous, kiedy zyskała sławę dzięki swym wizjom w Lourdes. W lokalnych sklepach z fajansami można znaleźć piękne wyroby, a przy okazji rzucić okiem na warsztat pracy. W Musée Municipal, rue St-Genest 16, zgromadzono bogate zbiory fajansów i malarstwa francuskich mistrzów (latem codz. oprócz wt. 10.00–18.30). Na nocleg warto polecić *Villa du Parc*, 28 pokoi, rue de Lourdes 16, ☎038 6610948, fax 0386578517, €–€€.

ORLEAN

[168 A5] Wiekowy Orlean (Orléans, 260 tys. mieszk.), sławny dzięki Joannie d'Arc, jest nie tylko ważnym węzłem komunikacyjnym oraz bazą wypadową do zamków nad Loarą, ale też bardzo interesującym i atrakcyjnym miastem. Odbudowa śródmieścia po zniszczeniach II wojny światowej została przeprowadzona bardzo starannie, dzięki czemu miasto prezentuje się niezwykle harmonijnie. Na centralnym place du Martroi stoi konny posąg Dziewicy Orleańskiej, która w 1429 r. oswobodziła miasto z rąk Anglików. Po wschodniej stronie pnie się do góry gotycka katedra. Po zniszczeniach dokonanych przez kalwinów w 1528 r. świątynia została pieczołowicie odbudowana w latach 1601 i 1829. W Maison de Jeanne d'Arc, place de Gaulle 3, codz. oprócz pn. 10.00–12.15 i 13.30–18.00, urządzono muzeum poświęcone bohaterce narodowej Francji z okresu wojny stuletniej. Wygodny nocleg zapewnia *Jackotel*, 42 pokoje, place Cloître-St-Aignan 18, ☎02385 44848, fax 0238771759, €€, oraz *Hôtel d'Orléans*, 18 pokoi, rue A.-Crespin 6, ☎0238533534, fax 0238 536820, €€.

Westwerk katedry w Orleanie

ATRAKCJE W OKOLICY

Blois [168 A5]

Wzrok wszystkich odwiedzających to interesujące miasto nad Loarą (49 tys. mieszk.) przyciąga centralnie położona, potężna góra zamkowa. *Château* podniesione zostało do rangi królewskiej rezydencji w XVI w., gdy monarchowie Francji opuścili Amboise. Z czasów Franciszka I pochodzi skrzydło północno-zachodnie (1515–1524) ze słynną, ośmiokątną klatką schodową. Opętana żądzą władzy Katarzyna Medycejska przeżyła wiele lat w tutejszych komnatach; w 1588 r. zamek stał się miejscem zleconego przez króla Henryka III mordu na księciu Gwizjuszu (latem codz. 9.00–19.30).

Na nocleg warto polecić hotele *Anne de Bretagne*, 28 pokoi, avenue J.-Laigret 31, ☎0254780538, fax 0254743779, €€, oraz ◆ *Auberge Ligérienne*, 7 pokoi, place de la Grève 2, ☎0254780786, fax 025456 8733, www.coteloire.com, €€, z pięknym widokiem na Loarę.

Chambord [168 A5]

Chambord, z 440 komnatami, 156 m długości i 117 m szerokości, jest największym i najbardziej imponującym zamkiem nad Loarą. Jego budowę rozpoczął w 1519 r. Franciszek I. Gdy umierał 15 lat później, budowla wciąż nie była ukończona. Prace doprowadzili do końca jego następcy: Henryk II oraz Ludwik XIV. Uważa się, że pierwsze projekty mogły pochodzić od Leonarda da Vinci, który od 1516 r. mieszkał na zaproszenie Franciszka I w Ambois i umarł tam trzy lata później. Włoski uczony mógł być także autorem genialnych, podwójnych Wielkich Schodów (Le Grand Escalier), które skonstruowano w ten sposób, by dwie poruszające się po nich w przeciwnych kierunkach osoby

Klejnot przy autostradzie

Najpiękniejszy parking Francji?

Podróż niezbyt uczęszczaną A39 w kierunku południowym to przyjemność sama w sobie. Podróżujący w stronę Lyonu i Prowansji nie muszą obawiać się korków nawet w okresie masowych wyjazdów na urlop. Gdy trzeba będzie uzupełnić paliwo, warto zrobić to na parkingu Aire du Jura, około 60 km na południe od Dôle. To zupełnie niepowtarzalne miejsce! Z jednej strony dzięki nieprawdopodobnej, futurystycznej architekturze Pavillon des Cercles (opartej jednak na koncepcji XVIII-wiecznego architekta Claude'a Nicolasa Ledoux, twórcy pobliskiego Arc-et-Senans), z drugiej zaś dzięki jej wykorzystaniu na potrzeby muzeum i centrum multimedialnego, prezentującego piękno Jury. Nie należy zapominać również o znakomitym wyposażeniu samego parkingu – dobrej restauracji i świetnym placu zabaw dla dzieci.

nie musiały się spotkać. W wielu miejscach na kasetonowym suficie powtarza się motyw salamandry, herbu Franciszka I. Na tarasach znajdujących się na szczytach wielkich, okrągłych wież, gromadzili się dworzanie, by oglądać wojskowe parady, turnieje czy drużyny myśliwskie. W XVIII w. w zamku mieszkał król Polski, Stanisław Leszczyński; od 1932 r. zabytek jest własnością państwa francuskiego. IV–X codz. 9.30–18.45, pozostałe miesiące 9.00–17.15, 50 km na południowy zachód od Orleanu.

Le Puy-en-Velay

[172 C3] Wśród przedziwnego, wulkanicznego krajobrazu wschodnich rubieży Owernii leży stolica (20,5 tys. mieszk.) krainy Velay. Miasto już od średniowiecza słynie z pielgrzymek, które przyby-

wają do katedry Notre Dame, by obejrzeć Czarną Madonnę (*Vierge Noire d'Auvergne*) – XIX-wieczną kopię posągu, który Ludwik IX przywiózł z jednej z wypraw krzyżowych w XIII w. Wokół katedry skupiają się Maison du Prieur, krużganki i Chapelle des Pénitents. Z ◄► Rocher Corneille, wielkiej statui Madonny odlanej z 213 zdobycznych dział, wznoszącej się na północ od świątyni, roztacza się imponujący widok. Aiguilhe, 85-metrowy, ostry stożek wulkaniczny na północy miasta, zwieńczony jest Chapelle St-Michel.

ATRAKCJE W OKOLICY

La Chaise-Dieu **[172 C3]**
Około 60 km na północny zachód od Le Puy-en-Velay, na wysokości 1000 m n.p.m. położone jest opactwo benedyktyńskie. Okres jego świetności przypadł między XI

a XV w. W kościele opackim zachowało się 14 drogocennych gobelinów oraz rzeźbione, dębowe
stalle. Słynne freski z 1470 r.
przedstawiające danse macabre,
taniec śmierci, zdobią zewnętrzne
elewacje mnisich cel.

SEMUR-EN-AUXOIS

[168 C6] Spośród małych miast
burgundzkich to właśnie Semur-
-en-Auxois wyjątkowo dobrze zachowało swój średniowieczny
charakter. Staromiejskie domki
tłoczą się na wzgórzu, otoczone
wysokim, przetkanym wieżami
murem; poniżej wije się wstęga
Armançon. Wąskie uliczki prowadzą do kościoła Notre Dame, który uchodzi za arcydzieło burgundzkiego gotyku. Jego budowa
została rozpoczęta za panowania
księcia Roberta I, w 1060 r. Bardzo
urokliwy jest spacer obsadzoną li-
pami promenadą, prowadzącą
wzdłuż murów miejskich. Na
nocleg zaprasza wygodna i nowo-
czesna *Hostellerie d'Aussois*, 43 pokoje, route Saulieu, ☎0380972828,
fax 0380973456, €€.

TOURNUS

[173 D1] Małe miasto (6,2 tys.
mieszk.) w południowej Burgundii słynne jest dzięki Abbaye St-
-Philibert; opactwo uchodzi za
szczególnie piękny przykład
sztuki romańskiej. Jego budowa,
rozpoczęta w X w. po zniszczeniu starszej budowli przez najazd
węgierski, zakończyła się ostatecznie w połowie XII w. Wnętrze kościoła z potężnymi romań-

skimi sklepieniami i pozbawionymi ozdób kolumnami cechuje się
niezwykłą czystością stylu. Kościół i trójnawowa krypta (wyświęcona w 979 r.) łączą w sobie
wszystkie elementy architektury
karolińskiej: widoczne jest to
w rozplanowaniu kaplic oraz ko-
lebkowym sklepieniu kolumnady
w przedsionku kościoła. Ze starego klasztoru zachowało się jedynie skrzydło północne; obecnie
mieści się w nim centrum sztuki
romańskiej. Kapitularz został odbudowany po pożarze w 1237 r.
Piwnice klasztorne oraz refektarz
o długości 33 m pochodzą z XII w.
Godna polecenia jest dwugwiazdkowa restauracja *Greuze*, rue Al-
bert-Thibaudet 1, ☎0385511352,
€€€, oraz *Hôtel de Greuze*, 21 pokoi, place de l'Abbaye 5–6, ☎0385
517777, fax 0385517723, www.
relaischateau.com, €€€.

TOURS

[167 E5] Kosmopolityczne miasto
nad Loarą (300 tys. mieszk.), tzw.
Mały Paryż, to idealny punkt wypadowy do zwiedzania okolicznych zamków; samo Tours zasługuje jednak na więcej niż tylko
krótką wizytę. Stare kamienice
wokół zamkniętego dla ruchu samochodowego place Plumereau
zostały pieczołowicie odrestaurowane. Na piechotę dotrzeć można
do Palais de l'Ancien Archevêché
(pałac arcybiskupi) oraz Musée des
Beaux-Arts, codz. oprócz wt. 9.00–
12.45 i 14.00–18.00. Koniecznie
trzeba zobaczyć także katedrę St-
-Gatien, prezentującą niemal
wszystkie odmiany gotyku, oraz
Musée Archéologique w renesan-

sowym budynku dawnego Hôtel Babou de la Bourdaisière (XVI w.), przy malowniczym Place Foirele--Roi. Godne polecenia są *Hôtel du Musée*, 20 pokoi, place François-Sicard 2, ☎0247666381, fax 024720 1042, €€, oraz *Hôtel du Cygne*, 18 pokoi, rue Cygne 6, ☎024766 6641, fax 0247660513, €€.

ATRAKCJE W OKOLICY

Azay-le-Rideau   [167 E5]

★ 28 km dzieli Tours od położonego na południowym zachodzie miasteczka nad rzeką Indre. Nazwę Azay-le-Rideau nosi także słynny zamek na wodzie, perła renesansu. Honoriusz Balzac trafnie nazwał go mieniącym się tysiącem refleksów diamentem (*diamant au milles facettes*). Budowla została wzniesiona w latach 1518–1529 jako letnia rezydencja podskarbiego Gilles'a Berthelota i jego mał-

żonki. Pięknie urządzony zamek warto zwiedzić w ciągu dnia, ale jego wspaniałą iluminację najlepiej kontemplować w ciepły, czerwcowy wieczór, podczas popularnego spektaklu *Son-et-Lumière* (latem w weekendy, od 22.00). Zwiedzanie zamku latem codz. 9.30–19.00, poza sezonem 9.30–12.30 i 14.00–17.30, www.monum.fr.

Langeais   [167 D5]

25 km na zachód od Tours dumnie wznosi się zamek zbudowany w 1456 r. przez ministra finansów Ludwika XI. W 1491 r. odbył się tu ślub Karola VIII i księżnej Anny Bretońskiej, w wyniku którego Bretania stała się ostatecznie częścią Francji. Odwiedzin warte są szczególnie zachowane w całości, średniowieczne wnętrza. Latem codz. 9.30–20.00, poza sezonem do 18.00.

Najdłuższa rzeka Francji, Loara, na odcinku nieopodal Tours

VENDÔME

[167 F5] Rzeka Loir (nie mylić z Loarą) wije się wśród staromiejskiej dzielnicy pogodnego Vendôme (30 tys. mieszk.). Przyjemnych wrażeń dostarcza przechadzka po uliczkach zabudowanych domami z pruskiego muru. Do starego, okazałego Église de la Trinité (XII–XV w.) z wolno stojącą, 80--metrową wieżą, dobudowano opactwo benedyktyńskie. Kapitularz zdobiony jest pięknymi malowidłami ściennymi. W sąsiednim budynku mieści się Musée de Vendôme, codz. 10.00–12.00 i 14.00–18.00, w którym zgromadzono m.in. gotyckie rzeźby i kolekcję malarstwa. W ruinach zamku hrabiów de Vendôme, wzniesionego na jednym ze wzgórz na południe od miasta, najlepiej zachowała się odbudowana w XV w. Tour de Poitiers. Wewnątrz murów obwodowych założono piękny ⬥ ogród. *Auberge de la Madeleine*, 8 pokoi, place Madeleine, ☎0254772079, fax 025480 0002, €, godna jest polecenia zarówno ze względu na kuchnię, jak i jakość oferowanych noclegów.

VÉZELAY

[168 C5] ★ Najwspanialszym zabytkiem przepięknie położonej, tysiącletniej miejscowości pielgrzymkowej (1 tys. mieszk.) jest bazylika Ste-Madeleine. Klasztor Benedyktynek założono już w 860 r., a budowa bazyliki rozpoczęła się w roku 1096. Jednak dopiero dzięki zakrojonym na szeroką skalę pracom restauracyjnym po roku 1840,

prowadzonym przez znanego architekta Eugène'a-Emanuela Violet-le-Duca, odzyskała ona pierwotną świetność. Tympanon w portalu przedsionka to jedno z największych arcydzieł romańskiej sztuki rzeźbiarskiej. W jego środku uwagę przykuwa postać Chrystusa błogosławiącego apostołów. Małe figury uosabiają osiem narodów, którym apostołowie oznajmiają nadejście chrześcijaństwa.

Renomą cieszy się hotel *L'Esperance* (Marc Meneau) w Saint--Pére-sous-Vézelay, ☎0386333910, fax 0386332615, www.relaischateaux.fr, €€€.

VICHY

[172 B2] Najważniejsze uzdrowisko Francji, na północnych krańcach Owernii (26,5 tys. mieszk.), łączy czar belle époque z supernowoczesnymi obiektami wielkiego centrum sportowego. Podczas niemieckiej okupacji Francji w latach 1940–1944 kurort był siedzibą kolaboranckiego rządu Vichy pod kierownictwem marszałka Philippe'a Pétaina. W centrum miasta skupiły się eleganckie i luksusowe hotele, jest też Parc des Sources z kolumnadą i promenadami, Grand Casino oraz teatr. Grand Etablissement Thermal uchodzi za największe założenie tego typu w Europie. Parcs d'Allier na zachodzie i południu to wymarzone miejsce na spacery.

Nieopodal term zaprasza zadbany i nowoczesny obiekt hotelowej sieci Novotel – *Thermalia*, 128 pokoi, avenue Thermale 1, ☎0470305252, fax 0470310867, €€€.

Wciąż nieodkryta

**Purpurowe Périgord, historyczna kraina Quercy
oraz Kraj Basków**

Obszar południowo-zachodniej Francji zajmują dwa wielkie regiony: Akwitania (Aquitaine) i Midi-Pyrénées. Obejmują one bardzo różnorodne krajobrazowo, choć skąpane w tym samym, południowym słońcu krainy: piękne Périgord, podobną do Toskanii, pagórkowatą Gaskonię oraz leżące u stóp Pirenejów wzgórza Béarn wokół Pau.

Nie brak dobrych miejsc do surfowania

Południowy klimat i południowy styl życia są typowe również dla zielonego Périgord-Dordogne oraz Bordelais, regionu winnego wokół Bordeaux, na wybrzeżu atlantyckim między ujściem Gironde a granicą hiszpańską. Zaletą południa i południowego zachodu Francji jest położenie poza głównymi szlakami turystycznymi, choć ani piękno nadrzecznego krajobrazu Dordogne, usianego zamkami, starymi wioskami, grotami i sanktuariami, ani atrakcyjność południowej części wybrzeża atlantyckiego nie są już dla nikogo tajemnicą. Jednak o Périgord Pourpre (Purpurowe Périgord) z zamkami i basztami, Quercy z warownymi miasteczkami na wapiennych wyżynach lub Kraju Basków i jego przywiązanych do tradycji mieszkańcach słyszało już stosunkowo niewielu. Aż do XIV w.

Dune du Pyla nieopodal Arcachon

Okcytania, południe dzisiejszej Francji, była regionem niezależnym politycznie i kulturalnie. Dopiero po okrutnych wojnach religijnych i pokonaniu katarów została włączona do Korony Francuskiej. Do dziś jednak ludność Midi pieczołowicie chroni swoją kulturową tożsamość.

ALBI

[171 E4] W rodzinnym mieście Henriego de Toulouse-Lautreca (65 tys. mieszk.), ze średniowiecznymi domami z jasnej cegły, panuje szczególna, południowa atmosfera. Niczym twierdza wznosi się nad rzeką Tarn katedra Ste-Cécile z pałacem arcybiskupim. Surowa architektura świątyni i 78-metrowej wieży jaskrawo kontrastuje z bogato zdobionymi wnętrzami, wykonanymi przez twór-

Tylko w MARCO POLO

Baskijski, pagórkowaty krajobraz u stóp Pirenejów

ców włoskich w stylu gotyku płomienistego. Fresk *Sąd Ostateczny* (XV w.) realistycznie przedstawia wszystkie męki piekielne. W pałacu arcybiskupim (XIII/XIV w.) mieści się Musée Toulouse-Lautrec, V–IX codz. 9.00–18.00, w pozostałe dni codz. oprócz wt. 10.00–12.00 i 14.00–18.00, prezentujące obrazy, rysunki i grafiki artysty. Dom, w którym urodził się Lautrec, l'Hôtel du Bosc, znajduje się na Starym Mieście.

AUCH

[170 C5] Dawna stolica (21,8 tys. mieszk.) hrabstwa Armagnac to tętniące życiem, malownicze miasteczko, położone wysoko nad lewym brzegiem Gers. Kto cieszy się dobrą kondycją, może z nadrzecznego Boulevard Sadi-Carnot wspiąć się do Starego Miasta po 232 stopniach Escalier Monumental (Wielkie Schody). Prowadzą one prosto do gotyckiej katedry Ste-Marie (1489–1597), uważanej za jeden z najpiękniejszych kościołów południowej Francji. Wymiary wnętrza świątyni są imponujące: 106 m długości, 24 m szerokości i 27 m wysokości. W chórze zachowało się 18 wspaniałych witraży Gaskończyka Arnaud de Molesa, arcydzieło XVI-wiecznego malarstwa na szkle; koniecznie trzeba też zwrócić uwagę na pięknie rzeźbione, dębowe stalle.

Przy rue Dessoles, odchodzącej od place de la République, stoją piękne domy z XVIII w. Wieloletnimi tradycjami i ładnymi pokojami może się pochwalić *Hôtel de France*, 29 pokoi, place Libération, ☎0562617171, fax 0562617181, €€.

KRAJ BASKÓW

[170 A–B5] Pagórkowata okolica między Bajonną (Bayonne) a hiszpańską granicą to ojczyzna Basków. W krajobrazie wsi dominują białe domy z ciemnoczerwonymi okiennicami i drewnianymi balkonami. Baskijskie tradycje, od języka po grę w pelotę, są wciąż bardzo żywe w tym oszczędzonym przez turystykę masową regionie. W czasie podróży po Kraju Basków nie wypada ominąć Ascain, popularnej miejscowości wypoczynkowej u stóp 900-metrowej ◀▼ La Rhune. Na szczyt prowadzi z przełęczy Col de St-Agnac kolej zębata. Z góry roztacza się, ponad pagórkami i łańcuchem Pirenejów, widok na morze. Kolejnym celem podróży może być piękna, typowo baskijska wieś Ainhoa z bogato zdobionym kościołem i znakomitą restauracją *Ithurria*, ☎0559298128, €€€. Atrakcją uzdrowiska Cambo-les-Bains jest Villa Arnaga, zbudowana i urządzona przez poetę i dramaturga Edmonda Rostanda w latach 1903–1906 (zwiedzanie V–IX).

Tylko w MARCO POLO

BAJONNA

Ruchliwa stolica Kraju Basków (40 tys. mieszk.) otoczona została przez inżyniera Sébastiena le Prestre de Vaubana potężnymi umocnieniami, na których wytyczono wspaniałe promenady. Rzeki Adour i Nive dzielą miasto na trzy części; stara dzielnica wokół kate-

---

Lista przebojów Marco Polo
„Francja płd.–zach."

★ **Bordeaux**
Znacznie więcej niż tylko wspaniałe wina. (s. 97)

★ **Les Eyzies-de-Tayac**
Wyjątkowa okazja do spotkania z prehistorią. (s. 107)

★ **Moissac**
Wybitne arcydzieło sztuki romańskiej. (s. 108)

★ **Brantôme**
Mekka smakoszy, wyspa ukojenia. (s. 101)

★ **Cordes-sur-Ciel**
Jedno z najpiękniejszych miasteczek południowego zachodu. (s. 105)

★ **Rocamadour**
Wspaniały kompleks budowli sakralnych. (s. 110)

★ **Beynac**
Pięknie odrestaurowany średniowieczny zamek. (s. 106)

★ **Lascaux II**
Arcydzieła twórców epoki kamiennej. (s. 108)

★ **Tuluza**
Airbus, Cité de l'Espace i Aérospatial to nie jedyne atuty miasta. (s. 113)

dry Ste-Marie z malowniczymi uliczkami, częściowo zamknięta dla samochodów, nazywana jest Grand Bayonne. Gotycką katedrę zbudowano w latach 1213–1544, jednak obie 70-metrowe wieże i fasada pochodzą dopiero z wieku XIX. Z zakrystii przechodzi się do XIII-wiecznych krużganków. Dumne Vieux Château obok katedry wzniesiono na fundamentach z czasów rzymskich. Warto obejrzeć bogato wyposażone Musée Basque, codz. oprócz pn. latem 10.00–18.30, poza sezonem 10.30–12.30 i 14.00–18.00, oraz Musée Bonnat, rue Jacques-Lafitte, latem codz. oprócz wt. 10.00–18.30, z cennymi zbiorami malarstwa (Leonardo da Vinci, Rembrandt, Peter Paul Rubens, Francisco Goya). Specjalnością regionu jest szynka bajońska. Największą sławą cieszy się *Le Grand Hôtel*, 54 pokoje, rue Thiers 21, ☎05595 96200, fax 0559596201, €€€. Znakomitą obsługę i komfort oferuje także hotel *Aster*, 66 pokoi, Carrefour Maignon, route Cambo, ☎0559422424, fax 0559422426, €–€€.

[170 C3] Nazwa miasta (26 tys. mieszk.) nad Dordogne kojarzy się przede wszystkim ze znanym regionem uprawy wina oraz postacią Cyrano de Bergeraca (1619–1655). Ten pisarz i filozof, rodowity paryżanin, przybrał nazwisko Bergerac, wstępując do gaskońskich kadetów, ale nigdy nie odwiedził samego miasta. Do kanonu literatury wszedł jednak nie tyle za sprawą własnej twórczości, co dzięki Edmondowi Rostandowi, który w 1897 r. uczynił go bohaterem słynnego dramatu *Cyrano de Bergerac*. Miłośnicy tytoniu odwiedzają Musée du Tabac w Maison Peyrarède, rue de l'Ancien-Pont, wt.–pt. 10.00–12.00 i 14.00–18.00, sb. do 17.00, nd. 14.30–18.00. Na rekomendację zasługuje hotel *Le Bordeaux*, 40 pokoi, place Gambetta 38, ☎055 3571283, fax 0553577214, €€.

ATRAKCJE W OKOLICY

Château de Monbazillac [170 C3]

Romantyczny zamek wznosi się na porośniętym winoroślą wzgórzu, 7 km na południe od Bergerac. Z winogron miejscowych szczepów wyrabia się słynne białe wino deserowe, Monbazillac, które szczególnie świetnie smakuje w towarzystwie pasztetów z gęsiej lub kaczej wątróbki. Zwiedzanie VI–VIII 10.00–19.00, www.chateau-monbazillac.com.

Château Montaigne [170 C3]

W wieży tego odbudowanego po pożarze w XIX w. zamku, około 40 km na zachód od Bergerac, Michel de Montaigne napisał swe słynne *Próby* (pn.–wt. 10.00–12.00 i 14.00–18.30, VII–VIII 10.00–18.30).

Tremolat [170 C3]

Niewielka miejscowość, 30 km na wschód od Bergerac, za miastem Lalinde, zlokalizowana jest w niezwykle malowniczym zakolu rzeki Dordogne, zwanym Cingle de Trémolat. Noclegi i wyśmienitą kuchnię oferuje *Vieux Logis*, 18 pokoi, ☎0553228006, fax 055322 8489, www.relaischateaux.fr, €€€.

BIARRITZ

[170 A5] 🏃 Słynne, wspaniale zlokalizowane na skalistych krańcach Côte d'Argent nad Zatoką Biskajską kąpielisko i uzdrowisko (28 tys. mieszk.) straciło już swój elitarny charakter. Niezmienna pozostaje za to jego kosmopolityczna atmosfera. Czasy, kiedy Biarritz odwiedzała europejska arystokracja, a cesarzowa Eugenia, żona Napoleona III, utrzymywała w połowie XIX w. dwór, przypomina jeszcze potężny kompleks *Palais* przy plaży – jeden z najpiękniejszych nadmorskich hoteli na świecie (avenue de l'Impératrice 1, 134 pokoje, ☎0559416400, fax 0559416799, €€€). Wspaniała, nadbrzeżna esplanada z efektownym Rocher de la Vierge ciągnie się wzdłuż licznych hoteli i apartamentowców aż do malowniczego Port des Pêcheurs, gdzie na świeżym powietrzu można delektować się dopiero co złowionymi owocami morza. Słodkości skosztować warto w nostalgicznie urządzonym *Salon de Thé Miremont*, place Clémenceau. Regionalną kuchnię najwyższej klasy oferuje *Les Platanes*, avenue Beau Soleil 32, ☎0559231368, €€–€€€. Przypominająca zamek willa z przyległymi budynkami to uroczy *Château du Clair de Lune*, 17 pokoi, avenue Alan-Seeger 48, ☎0559415320, fax 0559415329, €€–€€€.

BORDEAUX

[170 B3] ★ Stolica (215 tys. mieszk.) departamentu Gironde robi wrażenie dzięki położeniu nad szeroką, spławną Garonną (Garonne) oraz okazałym, wytwornym XVIII-wiecznym gmachom, dominującym w panoramie miasta. Na pierwszy rzut oka chłodne i wyniosłe, przy bliższym poznaniu Bordeaux okazuje się niezwykle urocze. Obok miejskich pałaców z XVIII w. zobaczyć warto także wąskie uliczki starannie odnowionego Vieux-Bordeaux, pełne ma-

Nadatlantyckie Biarritz – jeden z najsłynniejszych kurortów na świecie

Fontanna na esplanade de Quinconces w Bordeaux

ceau, allées de Tourny i cours de l'Intendance. Na czubku trójkąta, przy place de la Comédie, wznosi się Grand Théâtre z lat 1773–1780, uchodzący za najpiękniejszy budynek tego rodzaju we Francji. Cours de Chapeau-Rouge wiedzie do nabrzeża portowego nad Garonną, zabudowanego wytwornymi domami z XVIII w. Imponująca jest także architektura esplanade des Quinconces z 1828 r. – najrozleglejszego placu Europy (126 tys. m² powierzchni). Za pięknym place de la Bourse rozciąga się Stare Miasto z ciasnymi uliczkami, sklepikami i przytulnymi lokalami. Porte Royale katedry St-André (XII–XVI w.) ozdobiony jest gotyckimi rzeźbami o wartości porównywalnej z arcydziełami z Reims i Amiens.

łych sklepików i przytulnych knajp, fascynujących muzeów i wyśmienitych restauracji. Wizyta w Maison du Vin będzie bardzo pouczająca dla tych, którzy planują podróż po największym rejonie winiarskim Francji – Bordelais, i wypady do *châteaux* o słynnych nazwach, od XII w. nieprzerwanie zaopatrujących świat w najlepszej jakości trunki. Bordeaux od stuleci jest centrum handlu winem oraz rybami, a obecnie również jednym z czołowych europejskich ośrodków badawczych.

ZWIEDZANIE

Eleganckim, centralnym punktem miasta jest trójkątny obszar pomiędzy ulicami cours clémen-

MUZEA

Musée d'Aquitaine

Wspaniałe zbiory ilustrują historię oraz współczesność Akwitanii i Bordeaux. Cours Pasteur 20, codz. oprócz pn. 11.00–18.00.

Musée d'Art Contemporain

Placówka prezentuje w niekonwencjonalny sposób sztukę współczesną. Rue Ferrière 7, codz. oprócz pn. 11.00–18.00 (śr. do 20.00).

Musée des Beaux-Arts

Na specjalne wyróżnienie zasługują galerie obrazów szkoły weneckiej, mistrzów holenderskich oraz przykłady XIX-wiecznego malarstwa francuskiego. Cours d'Albret 20, codz. oprócz wt. 11.00–18.00.

Musée des Chartrons

W starej, mieszczańskiej kamienicy zgromadzono wszystko, co wiązało się niegdyś z handlem winem – od opakowań po dokumenty. Rue Borie 41, pn.–pt. 14.00–18.00.

Chez Paulette

W przytulnym bistro podaje się to, co najlepsze w kuchni południowego zachodu: kaczkę, baraninę oraz borowiki z czosnkiem i olejem orzechowym. Rue Saint-Rémi 24, ☎055 6790785, czynne codz., €–€€.

La Tupina

Wystrój i poziom kuchni budzą zachwyt. Rue de la Porte-de-la-Monnaie 6–8, ☎0556915637, czynne codz., €€–€€€.

Wart odwiedzin jest Marché Biologique przy place St-Pierre, czynne do 15.00, oraz Marché des Capucins, nazywany „żołądkiem Bordeaux", między Gare St-Jean a place de la Victoire (codz.). Liczne sklepy z rzemiosłem skupiły się na Starym Mieście.

Majestic

Centralnie położony, elegancki hotel w XIX-wiecznym budynku. 50 pokoi, rue de Condé 2, ☎05565 26044, fax 0556792670, www.hotel-majestic.com, €€.

Le Notre Dame

Komfortowy hotel z dobrą obsługą w dzielnicy Chartrons, koło Cité Mondial; parking. 21 pokoi, rue Notre Dame 36–38, ☎05565 28824, fax 0556791267, www.hotelnotredame.free.fr, €.

Trianon

Miły hotel zlokalizowany w centrum; w odrestaurowanej kamienicy z tradycyjnym, mieszczańskim wystrojem. 18 pokoi, rue Temple 5, ☎0556482835, fax 0556 511781, €€.

Część Starego Miasta w Bordeaux jest zamknięta dla ruchu kołowego

BORDEAUX

ŻYCIE NOCNE

Oprócz wielkich teatrów w Bordeaux działa także szereg małych, ambitnych scen – w tym najstarsza w całej prowincji L'Onyx, rue Fernand-Philippart 13 – oraz kawiarnie z *variétés* i kluby jazzowe. Koncertują orkiestra miejska oraz Bordeaux Aquitaine National Orchester.

INFORMACJA

Office de Tourisme

Cours du 30-Juillet 12, ☎05560 06600, fax 0556006601, www.bordeaux-tourisme.com.

ATRAKCJE W OKOLICY

Arcachon [170 B3]

Czarujące kąpielisko (18 tys. mieszk.) nad zatoką o tej samej nazwie, 56 km na zachód od Bordeaux, jest jednym z wielu nadmorskich kurortów, ciągnących się wzdłuż 240-kilometrowej plaży na Côte d'Argent. Już w okresie belle époque Arcachon było modne, o czym świadczą pięknie zdobione wille, szczególnie w Ville d'Hiver (Zimowe Miasto). Kasyno, restauracje wszystkich klas, wielka marina, nadbrzeżna promenada – nie brakuje tu niczego. Sławą cieszy się prowadzona w zatoce hodowla ostryg. Nieopodal Pyla-Plage znajduje się najwyższa wydma Europy, 117-metrowa ☙ Dune du Pyla. Atrakcją kąpieliska Cap Ferret, naprzeciwko Arcachon, jest latarnia o wysokości 52 m. Na kolację w eleganckim otoczeniu warto udać się do *Patio*, boulevard Plage 10, ☎0556830272, wt. w porze południowej i pn. zamkn., €€, a wygodnie przenocować – w *Les Mimosas*, 21 pokoi, avenue de la République 77 bis, ☎0556834586, fax 0556225340, €–€€.

Château de Roquetaillade [170 B3]

Średniowieczny zamek, 50 km na południe od Bordeaux, to gratka dla romantyków: zbudowany w 1306 r. przez kardynała Gaillarda de la Mothe'a, kuzyna papieża Klemensa V, wygląda imponująco z grubymi murami i sześcioma wieżami. Eugène Emmanuel Viollet-le-Duc, mistrz w przywracaniu

Z Dune du Pyla widać cały Bassin d'Arcachon

Château Ducru-Beaucaillou – słynna plantacja wina w Haut-Médoc

świetności średniowiecznej architekturze, za pomocą malowideł ściennych, mebli i starannego wyposażenia wnętrz uczynił z budowli istny monument dawnych czasów. Piękny park i możliwość zakupu zamkowego wina to dodatkowe atrakcje. Oprowadzanie codz. latem 10.30–19.00, wiosną i jesienią po południu.

Château de Villandraut [170 B3]

Kolejny wspaniały zamek gotycki, 10 km na południowy zachód od Château de Roquetaillade. Fundatorem budowli i jej częstym gościem był znajdujący się w niewoli awiniońskiej papież Klemens V. Całe założenie z grubymi murami i chronionymi 6-metrową fosą wieżami ma wybitnie obronny charakter. Codz. VII–pocz. IX 10.00–19.00, www.casteland.com.

Labrède [170 B3]

We wsi z bardzo ciekawym zamkiem wodnym de La Brède, 15 km na południe od Bordeaux, urodził się (1689 r.) i mieszkał markiz de

Montesquieu (Monteskiusz). Codz. oprócz wt. VII–IX 14.00–18.00, poza sezonem 14.00–17.30.

Médoc [170 B2–3]

Na północ od Bordeaux, aż po ujście Gironde, rozciągają się plantacje winne Haut-Médoc i Médoc. W 134 miejscowych *châteaux* wytwarza się czerwone wina, z których wiele cieszy się światową sławą – m.in. Margaux, St-Julien i Pauillac, a także Latour, Mouton-Rothschild oraz Lafite.

BRANTÔME

[170 C2] ★ Popularne wśród turystów miasteczko (2 tys. mieszk.) położone jest na wyspie na rzecce Dronne. Nie zaszkodzi poświęcić trochę czasu na obejrzenie zabudowań klasztornych z XVII/XVIII w. i romańskiej dzwonicy, a po trudach zwiedzania odpocząć w Jardin des Moines, pięknym parku publicznym nad rzeką. Okazałe opactwo zostało założone w 769 r.

przez Karola Wielkiego, jednak zachowane budynki pochodzą z XVIII w. Opatem był tu w końcu XVI w. Pierre de Bourdeille (Brantôme), który zyskał literacką sławę jako autor barwnych, dokumentujących obyczajowość epoki kronik, przede wszystkim *Żywotów pań swawolnych*. Piękna romańska dzwonnica zbudowana została na 12-metrowej skale obok kościoła. Parcours Troglodytique prowadzi do jaskiń zamieszkiwanych niegdyś przez pustelników i mnichów. Brantôme znane jest również ze znakomitej oferty gastronomicznej – warto polecić restaurację *Les Frères Charbonnel* i hotel *Chabrol*, 21 pokoi, rue Gambetta 59, ☎0553057075, fax 05530 57185, €€, oraz przepiękny *Moulin de l'Abbaye*, 19 pokoi, route de Bourdeilles 1, ☎0553058022, fax 0553057527, www.relaischateaux. fr/moulin, €€€.

CAHORS

[171 D3] Stolica departamentu Lot (20 tys. mieszk.) w ciasnym zakolu rzeki Lot zachwyca południową atmosferą. Na Starym Mieście, z wąskimi uliczkami i wspaniałą średniowieczną zabudową, wznosi się katedra St-Étienne – jeden z najstarszych kościołów kopułowych we Francji. Wino z Cahors zyskało sławę już w średniowieczu.

ZWIEDZANIE

Stare Miasto
Atmosferę minionych wieków odczuwa się najpełniej wśród ciasnych uliczek wokół katedry. Okazałe domy z gotyckimi i renesansowymi fasadami świadczą o dawnej świetności kupieckiego miasta. Przy quai Champollion, kilka kroków od brzegów Lot, wznosi się Maison de Roaldès, w którym Henryk IV umieścił swoją kwaterę podczas oblężenia miasta w 1580 r. (latem codz. 10.00–12.00 i 14.00–18.00). Obok katedry znajduje się plac targowy z ładną halą targową (czynne codz.).

Cathédrale St-Étienne
Budowa rozpoczęła się w XI w. W pięknym portalu północnym wzrok przyciąga wielki tympanon z 1135 r., ukazujący scenę Zmartwychwstania. W końcu XIX w. pierwszą kopułę ozdobiono freskami. Drzwi na prawo od chóru prowadzą do renesansowych krużganków z 1509 r., skąd przechodzi się do kaplicy St-Gausbert, czyli dawnego kapitularza. Przy rynku Starego Miasta.

Pont Valentré
XIV-wieczny gotycki most warowny z trzema 40-metrowymi wieżami to znak rozpoznawczy miasta. Najlepszy widok na most roztacza się z prawego brzegu rzeki.

GASTRONOMIA

Le Balandre
Szlachetna restauracja w hotelu *Terminus*. Wyśmienita kuchnia regionalna, m.in. *confit de canard* i *magret de canard*, zawsze ze specjalnymi przystawkami. Avenue Ch. de Freycinet 5, ☎0565533200, €€.

NOCLEGI

France
Wygodnie i nowocześnie, z dobrą obsługą; między dworcem a Pont

Pont Valentré w Cahors

Valentré. 79 pokoi, avenue Jean-Jaurès 252, ☎0565351676, fax 0565220108, €–€€.

Terminus
Tradycyjny hotel w pobliżu dworca; dobrze wyposażone pokoje, miła obsługa. 29 pokoi, avenue Ch. de Freycinet 5, ☎0565533200, fax 0565533226, €–€€.

INFORMACJA

Office de Tourisme
Place François Mitterand, ☎05655 32065, fax 0565532074, www. quercy.net.

ATRAKCJE W OKOLICY

Bonaguil [171 D3]
Château, około 50 km na zachód od Cahors, powstało w latach 1480–1520 i jest jedną z największych ruin zamkowych we Francji. Wy-

bitnie obronne założenie wzniesiono w niezwykle malowniczym miejscu, na skale pośród lasów nieopodal Fumel, między Périgord a Quercy. Jego fundatorem był baron Béranger de Roquefeuil; walory budowli pozostały niewykorzystane, ponieważ nikt nigdy nie podjął próby jej zdobycia. Dopiero podczas rewolucji zamek obrócony został w ruinę. Imponujący obiekt najlepiej zwiedzać z przewodnikiem. Codz. latem 10.00–17.45, poza sezonem 10.00–12.00 i 14.00–18.30, I zamkn.

Castelnau-Bretenoux [171 D3]
Średniowieczny zamek z wielkimi, okrągłymi wieżami, przy zlewisku Cère i Dordogne, 60 km na północny wschód od Cahors, zbudowany został między XI a XIII w. na planie trójkąta. Należał niegdyś do potężnych baronów de Castelnaud. W twierdzy stacjonować mogło 1,5 tys. ludzi i 100 koni. Ostatni właściciel Castelnaud-Bretenoux, śpiewak operowy Jean Mouliérat, wykupił zamek w 1896 r., włożył cały swój majątek w jego renowację, po czym w 1932 r. przekazał go państwu. Pomieszczenia zamkowe zostały przez niego wyposażone w wartościowe, stare meble oraz gobeliny z Aubusson i Beauvais. Codz. latem 9.30–18.30, IV–VI i IX 9.00–12.00 i 14.00–18.00, zimą 10.00–12.00 i 14.00–17.00.

Cuzals [171 D3]
Zaprzęgi wołów ciągną przez wieś, obok łomocze młockarnia, młyn obraca się leniwie, a z pieca wyjmuje się gorący chleb. Oto skansen Quercy, miejsce, które u wszystkich lubiących dawne

czasy może wywołać łzy wzruszenia – tak pracowało i żyło się na wsi jeszcze przed stu laty. Musée de Plein Air du Quercy, 40 km na wschód od Cahors, codz. latem 10.00–19.00, poza sezonem 14.00–18.00.

Grotte du Pech-Merle   [171 D3]
To prawdopodobnie najpiękniejsza prehistoryczna jaskinia we Francji udostępniona obecnie do zwiedzania. Trasa (1,2 km) prowadzi przez kamienne komnaty zdobione konturami koni, niedźwiedziego łba oraz wyobrażeniami bizonów i mamutów (Chapelle des Mammouths). Wiek naskalnych malowideł szacowany jest na 10–20 tys. lat. Sąsiednie Musée Amédée-Lemozi przedstawia obecny stan badań paleologicznych. 33 km na wschód od Cahors, koło Cabrerets, Zielone Świątki–X codz. 9.30–12.00 i 13.30–17.00.

Dolina Lot   [171 D3]
Na zachód od Cahors, w kierunku Puy-l'Évêque, rzeka Lot wije się w wąskiej dolinie między starymi wsiami, miasteczkami i zamkami. Pierwszym z nich jest malowniczo położony ⚜ Mercuès, niegdyś siedziba biskupów Cahors, a dziś czterogwiazdkowy hotel (Château de Mercuès, 24 pokoje, ☎0565 200001, fax 0565200572, €€€). W zamku Caix, 3 km od Luzech, rezyduje latem królowa Danii; można tu kupić wino produkowane przez jej małżonka. Samo Luzech (1,5 tys. mieszk.) to ładne miasteczko z górującą nad nim basztą i Muzeum Archeologicznym. Koło Grézels wznosi się Château de La Coste (latem codz. 14.00–19.00). Malownicze mia-

steczko Puy-l'Évêque (2,2 tys. mieszk.), wysoko nad rzeką, warto odwiedzić ze względu na stary kościół, który niegdyś był częścią miejskich umocnień. Dolina Lot jest nie mniej piękna także na wschód od Cahors.

Saint-Cirq-Lapopie   [171 D3]
Średniowieczna wieś (190 mieszk.) zbudowana na stromo opadającej ku rzece Lot skale, 34 km na wschód od Cahors, słynie ze swojej urody. Miejscowość była zawsze ceniona przez malarzy i pisarzy. Najsłynniejszy z nich, André Breton (1896–1966) – ojciec surrealizmu literackiego, zamieszkał na place du Carol. Artystom, którzy włożyli wiele wysiłku w renowację wsi, zawdzięcza ona swój zachowany do dziś, historyczny wygląd. Obecnie w wielu odnowionych domach mieszczą się warsztaty rzemieślnicze. Kościół pochodzi z XVI w. W niewielkim Château de la Gardette, poniżej kościoła, urządzono muzeum, IV–XI, codz. oprócz wt. 10.00–12.00 i 14.00–18.00 (latem do 19.00), ze zbiorami sztuki afrykańskiej oraz pracami malarza Josepha Rignaulta. Wspaniałych wrażeń dostarcza rejs po Lot.

W centrum zaprasza rustykalna Auberge du Sombral, także 8 pokoi, ☎0565312608, fax 056530 2637, €€. Wygodne noclegi oferuje również La Pélissaria, 10 pokoi, ☎0565312514, fax 0565302552, €€.

CONQUES

[171 E3] Niewielkie miasteczko (300 mieszk.) w Owernii, niezwykle malowniczo położone na zboczu góry na południe od Aurillac, było niegdyś siedzibą opactwa Benedyktynów. W kościele Ste-Foy (1035–1060) zachowało się arcydzieło sztuki romańskiej – rzeźbiony tympanon w portalu głównym ze sceną Sądu Ostatecznego (ok. 1140 r.). Z samego klasztoru przetrwała jedynie galeria. Skarbiec kościelny, dostępny poprzez dawny refektarz, uchodzi za jeden z najbardziej wartościowych we Francji; zgromadzono w nim głównie sztukę złotniczą z IX–XV w., w tym przede wszystkim słynny relikwiarz *La Majesté d'Or de Ste-Foy* (koniec IX w., głowa pochodzi z V w.). Na nocleg warto polecić śliczny, stary hotelik *Ste-Foy*, 17 pokoi, ☎0565698403, fax 0565728104, www.hotelsaintefoy.fr, €€–€€€.

CORDES-SUR-CIEL

[171 D4] ★ Ustronnie zlokalizowane, górskie miasteczko na północny zachód od Albi, w departamencie Tarn, uchodzi za jedną z najbardziej efektownych miejscowości o charakterze obronnym w Midi. Uroku dodają mu także okazałe domy mieszczańskie z XIV w. – Maison du Grand Veneur, Maison du Grand Fauconnier i inne. Pieczołowicie odnowione, Cordes-sur-Ciel żyje dziś z turystyki. Musée Yves-Brayer, w Maison du Grand Fauconnier, poświęcone jest francuskiemu malarzowi, który zamieszkał w Cordes. W bramie miejskiej (Portail Peint) siedzibę ma Musée Charles-Portal ze zbiorami archeologicznymi. W starym klasztorze z pięknymi pokojami działa *Hostellerie du Vieux Cordes*, 21 pokoi, rue St-Michel, ☎0563537920, fax 0563560247, €€.

DAX

[170 B4] Słynne uzdrowisko ze źródłami termalnymi i kurort (19,5 tys. mieszk.), w bezpośrednim sąsiedztwie Côte d'Argent, znane było już od czasów rzymskich. Z otoczonej arkadami Fontaine Chaude na końcu place Thiers wypływa codziennie około 2,5 mln litrów wody o temperaturze 64°C. Budynki uzdrowiskowe skupiły się na zachód od placu, nad rzeką Adour. Katedra Notre Dame została odbudowana między połową XVII w. a początkiem wieku XVIII. W Musée de Borda, rue Cazade, zgromadzono regionalne zbiory kulturalno-historyczne, codz. oprócz wt. i nd. 14.30–18.30. O nocleg warto się postarać w wielkim i nowoczesnym hotelu *Regina*, 109 pokoi, boulevard Sports, ☎055890 5000, fax 0558748831, €–€€, lub *Grand Hôtel Mercure Splendid*, 155 pokoi, cours Verdun 2, ☎055856 7070, fax 0558749631, €–€€, z urządzeniami termalnymi.

DOMME

[171 D3] ✲ Obronne miasteczko (930 mieszk.) na skalnym masywie, wysoko nad rzeką Dordogne, nazywane jest często „Akropolem Périgord". Roztacza się stąd widok na szczególnie piękny odcinek doliny z zakolami rzeki, polami uprawnymi, zamkami i wioskami. W Domme, założonym w 1283 r. przez Filipa Śmiałego, do dziś zachowała się większość umocnień: Porte del Bos, Porte de la Combe i Porte des Tours. Nieopodal place de la Halle znajduje się wejście do

450-metrowej groty ze stalaktytami i stalagmitami, codz. IV–IX 9.30–18.00 (latem do 19.00). Dobra kuchnia i piękna lokalizacja to atuty wygodnego hotelu *L'Esplanade*, 20 pokoi, ☎0553283141, fax 0553284992, €€.

ATRAKCJE W OKOLICY

Beynac   [171 D3]
★ W popularnej, ślicznej miejscowości nad Dordogne, 13 km na zachód od Domme, na nadbrzeżnej skale wznosi się imponujący *château* – wspaniały średniowieczny kompleks zamkowy (XII–XVI w.), latem codz. 10.00–12.00 i 14.00–18.30. W średniowieczu Beynac był jedną z czterech baronii Périgord. Zakrojone na szeroką skalę prace restauracyjne, prowadzone przez obecnych (prywatnych) właścicieli, przywróciły zamkowi jego pierwotny blask.

Castelnaud   [171 D3]
➷ Niczym orle gniazdo zbudowany jest XII-wieczny zamek, 15 km na zachód od Domme, dokładnie naprzeciw Beynac. W środku urządzono muzeum sztuki wojennej średniowiecza z kolekcją broni, wyposażenia wojskowego i dokumentów. Wspaniały widok na okolicę i wypożyczalnia kajaków nad rzeką to dodatkowe atrakcje. Codz. VII–VIII 9.00–20.00, V–VI i IX 10.00–19.00, pozostałe miesiące 14.00–17.00.

La Roque-Gageac   [171 D3]
Dordogne zakreśla między Domme a Beynac szeroki łuk. Na jej brzegu, 3,5 km na północny zachód od Domme, tłoczą się pod wysoką skałą zabudowania niezwykle malowniczego La Roque-Gageac (400 mieszk.). Château de la Malartrie na skraju miejscowości, zbudowane w pseudośrednio-

Niewielkie La Roque-Gageac na stromym brzegu Dordogne

wiecznym stylu, pochodzi z początku XX w. Smaczną kuchnię zapewnia restauracja *Plume d'Oie*, ☎0553295705, €–€€, a wygodne noclegi – przyjemny hotel *La Belle Étoile*, 17 pokoi, ☎0553295144, fax 0553294563, €–€€.

LES EYZIES-DE-TAYAC

[171 D3] ★ Mała miejscowość (900 mieszk.) nad Vézère, dopływem Dordogne, nazywana jest prehistoryczną stolicą świata. Tu znaleziono człowieka z Cro-Magnon; w najbliższych okolicach jest wiele jaskiń, w których od 1863 r. dokonano przełomowych odkryć. Wszystkiego na ten temat można dowiedzieć się w Musée National de Préhistoire, codz. oprócz wt. 9.30–12.00 i 14.00–18.00, w starym zamku w Les Eyzies. Spośród pobliskich jaskiń i stanowisk antropologicznych warto wymienić: Grotte du Grand Roc ze wspaniałymi formacjami stalaktytów i stalagmitów, codz. latem 9.00–19.00, poza sezonem 10.00–17.00; La Roque-St--Christoph – ścianę skalną o długości 900 m, zamieszkaną od epoki kamiennej aż do średniowiecza, z grotami, galeriami i mieszkaniami na pięciu poziomach (codz. latem 10.00–18.30, poza sezonem 11.00–17.00); Le Moustier – wieś ze słynną grotą Abri Préhistorique oraz parkiem prehistorycznym Préhistoparc, w niewielkiej, bocznej dolinie Vézère, na południe od La Roque-St-Christoph, gdzie odgrywane są rozmaite sceny z życia codziennego ludzi epoki kamiennej (polowanie na mamuty, połów ryb, malarstwo naskalne itd.), III–poł. X codz. 9.30–18.30.

Tylko w MARCO POLO

FIGEAC

[171 D3] Nieduża miejscowość nad Célé (9,5 tys. mieszk.) we wschodnim Périgord była ważnym punktem dla pielgrzymujących Drogą Jakubową. Na terenie malowniczego Starego Miasta zachowało się mnóstwo okazałych średniowiecznych domów oraz Hôtel de la Monnaie (XIII w.) z biurem informacji turystycznej, Château de Balène (XIV w.) i Hôtel d'Auglanat (XV w.). Przy rue Gambetta stoją dwa piękne domy z pruskiego muru, stary szpital templariuszy oraz Commandarie des Templiers (nr 41); latem codz. 10.00–12.30 i 14.30–19.30. Imponująca jest architektura place des Écritures, którego powierzchnię wyłożono czarnym afrykańskim granitem według projektu artysty Josepha Kossutha. W Musée Champollion wystawiono interesujące zbiory sztuki egipskiej, codz. oprócz pn. latem 10.00–12.00 i 14.30–18.30, poza sezonem 14.00–18.00. Na rekomendację zasługuje hotel *La Courte Paille*, 20 pokoi, ☎056534 2183, fax 0565140187, €–€€.

FOIX

[171 D6] Dawna stolica (10 tys. mieszk.) potężnego, aż do 1607 r. niezależnego od Korony Francuskiej hrabstwa Pays de Foix (z Béarn), jest dziś spokojnym, małym miasteczkiem. W lipcu atmosfera dawnych czasów ożywa dzięki średniowiecznym zabawom, którym odpowiednią oprawę daje wznoszący się na skale ⚜ zamek hrabiowski z 42-metrową wieżą (latem codz. 9.45–18.30). W *château* urządzono interesujące Musée Départamental de l'Ariège. Nocleg na Starym Mieście oferuje zaciszny *Lons*, 38 pokoi, place G. Duthill 6, ☎0534092800, fax 0561026818, €€.

W Lourdes zawsze płoną setki świec

LASCAUX

[171 D3] W 1940 r. odkryto słynne na całym świecie jaskinie ze wspaniałymi malowidłami naskalnymi. W roku 1963 trzeba było jednak zamknąć groty dla zwiedzających, aby zapobiec dewastacji fresków. Niezwykle wierną kopię zabytku, sztuczne jaskinie ★ Lascaux II, otworto w 1983 r. Zaprezentowano w nich reprodukcje większości z ponad 1,5 tys. oryginalnych malowideł, stworzonych przez artystów z okresu kultury magdaleńskiej (górny paleolit, 17–15 tys. lat p.n.e.). VII–VIII codz. oprócz pn. 9.00–20.00, pozostałe miesiące 10.00–12.30 i 13.00–18.00. Latem *Tylko w MARCO POLO* należy **wcześnie kupić bilety** (Office de Tourisme w Montignac, pod arkadami, od 9.00), ponieważ liczba zwiedzających ograniczona jest do 2 tys. dziennie.

LOURDES

[170 C5] Z ponad 3 milionami pielgrzymów rocznie położona u podnóża Pirenejów miejscowość sanktuaryjna (15,2 tys. mieszk.) nie ma sobie równej na całym świecie. Jednym z najważniejszych ośrodków kultu maryjnego stała się za sprawą objawień: w roku 1858 r. w Grotte Massabielle Matka Boska ukazała się pasterce Bernardet-

te Soubirous; dziś z tego miejsca wypływa cudowne źródełko. Oprócz groty zwiedza się także neogotycką Basilique Supérieure, Basilique du Rosaire, Basilique Souterraine Ste-Pie-X oraz Pavillon Notre-Dame z Musée Bernardette i Musée d'Art Sacré du Gemmail (latem codz. 6.00–19.00, poza sezonem 8.00–18.00). Odwiedzin wart jest również *château* z Musée Pyrénéen, codz. 9.00–12.00 i 13.30–18.30. Wieloletnimi tradycjami szczyci się *Grand Hôtel de la Grotte*, 76 pokoi, rue de la Grotte 66, ☎0562945887, fax 05629 42050, €€–€€€.

MOISSAC

[171 D4] ★ Skromne miasteczko (12,3 tys. mieszk.) nad rzeką Tarn może się pochwalić najpiękniejszym klasztorem południowego zachodu, należącym do dawnego opactwa benedyktyńskiego. Kunsztownie rzeźbiony portal (1110–1115) kościoła uchodzi za najwybitniejsze dzieło sztuki romańskiej we Francji południowej. Tympanon przedstawia scenę apokalipsy. Wspaniałe krużganki zostały przebudowane w XIII w., ale kapitele kolumn pochodzą z końca XI w. Wyborną kuchnię i piękne pokoje oferuje zlokalizowany nad rzeką hotel *Pont Napoléon*, 12 pokoi, allées Montebello 2, ☎056304 0155, fax 0563043444, €€.

MONPAZIER

[170 C3] Najlepiej zachowana osada obronna (510 mieszk.) w Périgord została założona w 1284 r. przez Edwarda I, króla Anglii i jednocześnie księcia Akwitanii. Z sześciu wież obronnych przetrwały jedynie trzy. Ulice wytyczono prostopadle do kwadratowego rynku, z sukiennicami i wieńcem pięknych arkadowych domów o jednakowej wysokości. Fasada sąsiedniego Église St-Dominique była często przebudowywana, portal i rozeta pochodzą z 1550 r. Dobrą kuchnię oferuje *Privilège du Périgord*, rue Notre-Dame 60, ☎055 3224398, pn. zamkn., €, a noclegi

Krużganki klasztoru Moissac

– cichy i zadbany hotel *Edward Ier*, 13 pokoi, rue St-Pierre 5, ☎0553 224400, fax 0553225799, €€.

MONTAUBAN

[171 D4] Stolica (52 tys. mieszk.) departamentu Tarn-et-Garonne jest malowniczo położona nad rzeką Tarn. Z XIV-wiecznego mostu otwiera się piękny widok na jasne dachy zabudowań ufortyfikowanej starówki. Ozdobą kolekcji Musée Ingres, w dawnej rezydencji biskupiej, są prace urodzonego w 1780 r. w Montauban francuskiego malarza, w tym około 4 tys. rysunków; zgromadzono w nim ponadto zbiory sztuki ludowej i religijnej, a także malarstwa z XIV–XVIII w. W katedrze, zbudowanej w latach 1692–1739, znajduje się słynny obraz *Śluby Ludwika XIII* autorstwa Jeana Auguste'a Dominique'a Ingres'a. W centrum Starego Miasta zaprasza piękny, zaciszny hotel *Mercure*, 62 pokoje, rue Notre-Dame 12, ☎0563631723, fax 05636 64366, €€–€€€.

PAU

[170 B5] Dawna stolica Béarn (79 tys. mieszk.) to tętniący życiem, dynamiczny ośrodek administracyjny departamentu Pyrénées-Atlantiques. W wielokrotnie przebudowywanym zamku miejskim, latem codz. 9.30–12.15 i 13.30– 17.45, urodził się w 1553 r. Henryk III Nawarski, późniejszy król Francji Henryk IV (od 1589 r.). Bogato wyposażone zamkowe Musée National z mnóstwem sal i komnat prezentuje w domniemanym miejscu narodzin monarchy słynną, bogato zdobioną kołyskę ze skorupy żółwia (*Berceau d'écaille de tortue*). Musée des Beaux-Arts, codz. 10.00–12.00 i 14.00–18.00, posiada pokaźną kolekcję malarstwa różnych szkół europejskich. Spacer po pobliskim, zaprojektowanym w stylu angielskim, uroczliwym Parc Beaumont będzie prawdziwą przyjemnością. Z ✈ boulevard des Pyrénées rozpościera się przy dobrej pogodzie wspaniała panorama okrytych śniegiem szczytów Pirenejów. Rustykalnie, ale oryginalnie prezentuje się restauracja *La Table d'Hôte*, rue Hédas 1, ☎05592 75606, latem czynne codz., poza sezonem zamkn. pn. po południu, €. Komfortowe noclegi oferuje hotel *Montileul*, 10 pokoi, avenue Jean Mermoz 47, ☎0559329353, fax 0559623746, €–€€.

czasy rzymskie Vésone. Na skwerze koło kościoła St-Étienne przetrwały pozostałości rzymskiego amfiteatru. Ze świątyni po drugiej stronie rzymskich murów zachowała się jedynie cella (Tour de Vésone). Restauracja *Aux Berges de l'Isle*, rue P. Magne 2, ☎05530 95150, sb. po południu i nd. zamkn., €€, warta jest odwiedzin. Przenocować można np. w hotelu *Régina*, 41 pokoi, rue Denis-Papin 14, ☎0553084044, fax 0553 547244, €–€€.

Rocamadour

[171 D3] ★ Rocamadour, niemal przyklejone do stromych, surowych skał Causse de Gramat w Périgord, to jedna z najpopularniejszych miejscowości turystycznych we Francji. W średniowieczu było ważnym miejscem pielgrzymek pątników (Cité Religieuse), w którym nawet monarchowie oddawali cześć relikwiom cudownego eremity, św. Amatora. Na 150-metrowej skale tłoczą się budowle Basilique St-Saveur, Chapelle St-Michel, Chapelle Notre-Dame. Poniżej rozciąga się wieś, gdzie przy głównej ulicy nie brak hoteli, restauracji oraz wielobarwnych sklepów i butików.

Périgueux

[170 C2–3] Stolica (65 tys. mieszk.) Périgord to, pomijając nowoczesne przedmieścia, ładne i przyjazne miasto. Piękne, starannie odnowione domy starówki tłoczą się wokół katedry St-Front, sprawiającej dość egzotyczne wrażenie dzięki pięciu kopułom. Przeprowadzona w XIX w. renowacja pochodzącej z lat 1125–1150 budowli radykalnie zmieniła jej wygląd. Przy cours de Tourny mieści się okazałe Musée du Périgord ze znakomitymi zbiorami archeologicznymi i historyczno-kulturalnymi (pn. i śr.–pt. 10.00–17.00, sb. i nd. 13.00–18.00). Na zachód od wielkiego place Francheville rozciąga się *cité* – pamiętające jeszcze

Saint-Bertrand-de--Comminges

[170 C4] Górująca nad Garonną malownicza wieś (200 mieszk.) na skraju Pirenejów ma bardzo interesującą przeszłość. W tym miejscu Pompejusz założył w 72 p.n.e. Lugdunum Convenarum, które w I w. zamieszkiwało prawdopodobnie około 60 tys. osób. Miasto zniszczyli w 408 r. Wandalowie, a dopiero w 1120 r. biskup Comminges kazał zbudować katedrę, wokół której wyrosła niewielka osada. Z czasów rzymskich zachowały się pozostałości forum, teatru oraz świątyni. W okazałej Cathédrale Notre-Dame szczególnie pięknie prezentuje się bogato rzeźbiony romański portal oraz wspaniałe wyposażenie wnętrza (ambona, lektorium, stalle). W sąsiednim klasztorze z romańskimi krużgankami warto zwrócić uwagę na kolumny z wizerunkami czterech ewangelistów (na prawo od wejścia). Pokój można dostać w niewielkim hotelu *L'Oppidum*, 15 pokoi, rue de la Poste, ☎0561 883350, fax 0561959404, €–€€.

SAINT-ÉMILION

[170 C3] Słynące z urody i znakomitych win miasteczko (2,3 tys. mieszk.), na wschód od Bordeaux, usytuowane jest na dwóch wapiennych wzgórzach i otoczone porośniętymi szlachetnymi odmianami winorośli wzniesieniami. Już w średniowieczu powstała *jurade*, złożona z rajców miejskich, której zadaniem była kontrola jakości produkowanego tu wina. Na początku każdego roku *jurats* w czerwonych szatach zbierają się na wspaniałej procesji, wyruszającej do kościoła. Wbudowany w skałę z wykorzystaniem istniejących grot i kamieniołomu Église Monolithe (IX–XII w.) to najcenniejszy zabytek tego typu we Francji. Szczególnie godna podziwu jest niezwykle precyzyjna robota kamieniarska. Obok kościoła po jednej stronie wznosi się Cloître de la Collégiale, a po drugiej – niewielka, śliczna Chapelle de la Trinité (XIII w.). Z 🔆 wieży Château du Roi roztacza się piękny widok na miasto i okolicę. Dobrą kuchnię prowadzi *Le Tertre*, rue Tertre de la Tente, ☎0557744633, wt. zamkn., €€. Spośród hoteli na wyróżnienie zasługuje *Hostellerie de Plaisance*, 18 pokoi, place Clocher, ☎0557 550755, fax 0557744111, www.

Tylko w MARCO POLO

Domy Saint-Émilion skąpane w ciepłym świetle wieczornego słońca

hostellerie-plaisance.com, €€, oraz *Logis de Remparts*, 17 pokoi, rue Guadet, ☎0557247043, fax 0557 744744, €€.

SAINT-JEAN-DE-LUZ

[170 A5] Uroki tego czarującego baskijskiego kurortu nadmorskiego (13 tys. mieszk.) docenią zwłaszcza ci, którym nie odpowiada światowy blichtr nieco hałaśliwego Biarritz. Wzdłuż zatoki, chronionej przed falami otwartego morza długimi molami, ciągnie się wielokilometrowa plaża z promenadą, kasynem, hotelami, willami i apartamentowcami. Stare Miasto jest typowo baskijskie, tak jak i pobliski wielki, wielobarwny port rybacki. W Église St-Jean-Baptiste, z trójkondygnacyjną galerią, malowanym drewnianym stropem i pozłacanym ołtarzem, odbył się uroczysty ślub Ludwika XIV z infantką hiszpańską Marią Teresą. Dwa domy, Maison de l'Infante i Maison Louis XIV, koło portu, służyły monarszym dzieciom za rezydencje. Bardzo miła obsługa i dobra kuchnia to atuty *La Taverne Basque*, rue de la République 5, ☎0559260126, oprócz VII–VIII, pn.–wt. zamkn., €–€€. Zaciszne miejsca noclegowe oferuje *Agur*, 19 pokoi, rue Gambetta 96, ☎0559519111, fax 0559519121, €–€€, oraz *La Devinière*, 8 pokoi, rue Loquin 5, ☎05592 60551, fax 0559512638, €€€.

SARLAT-LA-CANÉDA

[172 D3] Stare Sarlat, historyczne centrum miasta (9,7 tys. mieszk.) w Périgord Noir (Czarne Péri-

gord), wygląda niczym architektoniczny skansen: okazałe, bogato zdobione gotyckie i renesansowe domy tłoczą się wzdłuż wąskich uliczek, prowadzących poprzez bramy do niewielkich placów. Jako centrum regionalne Sarlat jest jednak miastem niezwykle dynamicznym: tłumy turystów przechodzą latem przez staromiejskie uliczki, a w sklepach i na targach ruch panuje przez cały rok. W dni targowe, wypadające w każdą sobotę, swoje towary oferują lokalni wytwórcy. Zwiedzanie miasta – najlepiej późnym wieczorem, gdy stare uliczki spowite są delikatnym światłem gazowych latarni – najlepiej zacząć od katedry St-Sacerdos (XVI–XVII w.). Piękny narożny budynek przy placu to miejsce narodzin Étienne'a de La Boëtiego (1530–1563), pisarza i przyjaciela Michała Montaigne'a. Lanterne des Morts, stożkowata budowla z końca XII w. w niewielkim ogrodzie za katedrą, służyła przypuszczalnie jako kaplica pogrzebowa. Inne warte uwagi zabytki to domy z XV i XVI w.: Hôtel de Malleville, Hôtel de Grézel, Hôtel de Vassall, na północ od katedry. O dawnym wyglądzie ich wnętrz daje wyobrażenie ekspozycja w Musée des Mirepoisse, rue Fénelon, codz. 10.00–19.00. Na Starym Mieście nie brak przytulnych restauracji, na wyróżnienie zasługują *Le Relais de La Poste*, impasse de La Vieille Poste, ☎0553596313, śr. zamkn., €, oraz *Rossignol*, rue Fénelon 15, ☎0553310230, czw. zamkn., €–€€. O nocleg warto się postarać w hotelu *La Madeleine*, 19 pokoi, place Petite-Rigaudie 1, ☎0553591041, fax 0553310362, €€.

TULUZA

[171 D5] ★ Czwarte co do wielkości miasto Francji (390 tys. mieszk.), nazywane także z powodu koloru cegieł używanych do budowy domów Ville Rose (Różowe Miasto), urzeka południową atmosferą i wielkomiejskim, swobodnym stylem życia. Mimo dość natężonego miejscami ruchu samochodowego śródmieście Tuluzy (Toulouse) z kamienicami, pałacem miejskim i centralnym Place du Capitole to istny raj dla pieszych turystów. Już w XII w. tutejsi mieszczanie uzyskali od hrabiów daleko posuniętą autonomię i zarządzali miastem na wzór miejskich republik we Włoszech – za pośrednictwem wybieranych przez siebie *capitouls*, czyli rajców; w roku 1444 w Tuluzie wybrano pierwszy poza Paryżem parlament. Założony w 1229 r. uniwersytet, drugi co do wielkości w kraju, to ważne centrum życia umysłowego. Miejscowość znana jest jednak przede wszystkim jako jeden z najważniejszych ośrodków badań technologicznych we Francji. Tę „europejską stolicę lotnictwa i kosmonautyki" obrała sobie za siedzibę firma Aérospatial, której nazwa kojarzy się z Airbusem, eurorakietą Ariane oraz uzbrojeniem typu pocisk Exocet. Również Caravelle i Concorde miały swoją kolebkę właśnie w Tuluzie. Wokół miasta ulokowały się zakłady i instytuty badawcze zajmujące się takimi przyszłościowymi gałęziami gospodarki, jak mikroelektronika, robotyka czy biotechnologia.

Stare Miasto

Z place du Capitole, placu Ratuszowego w centrum miasta, zamknięte dla samochodów rue St-Rome i rue des Changes prowadzą do place Esquirol. Ulice zabudowane są średniowiecznymi i renesansowymi domami-pałacami bogatych mieszczan (*hôtels*), spośród których szczególnie wytwornie prezentują się Hôtel de Capitoul Pierre Comère czy Hôtel de Brucelles. Bardziej na południe, przy Rue de Languedoc, wznoszą się Hôtel du Vieux-Raisin i Hôtel de la Belle Paule z przepięknymi podwórzami.

Capitole

Zbudowany w 1753 r. ratusz (Capitole, 128 m długości) zajmuje całą pierzeję centralnego place du Capitole. W jego arkadach ulokowały się sklepy, kawiarnie i restauracje, a pod powierzchnią placu zbudowano wielki parking podziemny. Za ratuszem wznosi się donżon (wieża obronna) z 1529 r., w którym mieści się biuro informacji turystycznej.

Cathédrale Saint-Étienne

Budowa katedry trwała od XI aż po XVII w., co tłumaczy zaskakującą mieszankę jej architektonicznych stylów. W trójnawowym wnętrzu dominuje jednak północnofrancuski gotyk.

Cité de l'Espace

W „mieście przestrzeni kosmicznej" – m.in. z planetarium, międzynarodową stacją kosmiczną, trójwymiarowym kinem i ogrodem astronomicznym – w fascynujący sposób przedstawiono wszystkie aspekty podróży w kosmos. Dojazd obwodnicą Est, zjazd 17, www.cite-espace.com, wt.–pt. 9.00–19.00, sb. i nd. do 18.00.

Église des Jacobins

Kościół i klasztor Dominikanów uchodzą za najlepiej zachowany kompleks klasztorny we Francji. Konstrukcja dwunawowego wnętrza świątyni podtrzymywana jest przez siedem wspaniałych filarów. Piękne krużganki oraz refektarz zostały, tak jak kościół, znakomicie odrestaurowane w 1974 r. Ośmiokątna, 45-metrowa dzwonnica powstała między 1301 a 1304 r. i jest to najładniejszy budynek tego rodzaju w Tuluzie. Rue Lakanal.

Hôtel d'Assézat

Wytworny pałac miejski na rogu rue de Metz, między place Esquirol a pont Neuf, zbudowany został w latach 1555–1558 przez kupca Pierre'a d'Assézata. Dziś jest to m.in. siedziba założonej w 1323 r. przez trubadurów Académie des Jeux Floraux, uznawanej za najstarszą instytucję literacką w Europie.

Saint-Sernin

Największy romański kościół Francji był ważnym punktem pielgrzymkowym na drodze do Santiago de Compostela. Na tympanonie Porte Miégeville widnieje scena Wniebowzięcia Pańskiego. Place St-Sernin.

MUZEUM

Musée des Augustins

Najpiękniejsze muzeum w Tuluzie z doskonałą kolekcją rzeźb romańskich i gotyckich, w dawnym klasztorze Augustianów. Rue de Metz 21, www.augustins.org, latem codz. oprócz wt. 10.00–18.00, śr. do 21.00 lub 22.00, poza sezonem 10.00–17.00.

Kawiarniane ogródki przy place du Capitole w Tuluzie

GASTRONOMIA

Bistrot le Van Gogh
🏃 Legendarne miejsce spotkań zarówno artystów, jak i studentów. Place St-Georges 21, ☎0561210315, pn. wieczorem i nd. wieczorem zamkn., €.

Bouchon Lyonnais
Dobra kuchnia domowa i regionalna po umiarkowanych cenach. Rue de l'Industrie 13, ☎05616 29743, sb. w porze południowej i nd. zamkn., €–€€.

Les Jardins de l'Opéra
Lokal dla smakoszy, szczególnie popularny wśród miejscowych. Place du Capitole 1, ☎0561230776, nd. i pn. zamkn., €€€.

ZAKUPY

Handel kwitnie w Tuluzie od zamierzchłych czasów. Najlepsze sklepy skupiły się przy rue d'Alsace-Lorraine, rue Croix-Baragnon i rue St-Antoine-du-Toulouse. Forum des Antiquaires, rue de la Pomme 18, mieści aż 18 antykwariatów.

NOCLEGI

Le Capitole
Przytulnie, nowocześnie i spokojnie, nieopodal place du Capitole. 33 pokoje, rue Rivals 10, ☎05612 32128, fax 0561236748, www.capitol-hotel.com, €–€€.

Grand Hôtel de l'Opéra
Atutem eleganckiego i zacisznego hotelu z uroczymi pokojami jest lokalizacja w samym sercu miasta (naprzeciw katedry). 50 pokoi, place du Capitole 1, ☎0561218266, fax 0561234104, www.grand-hotel-opera.com, €€€.

Hôtel du Grand Balcon
Z okna pokoju nr 32 na place du Capitole spoglądał Antoine de Saint-Exupéry, gdy nocował tu między przelotami. 54 pokoje, rue Romiguières 8, ☎0561214808, fax 0561215998, €€.

ŻYCIE NOCNE

Miłośnicy nocnych zabaw poczują się w Tuluzie naprawdę dobrze, nawet jeżeli odwiedzają ją samotnie. W mieście nie brakuje barów, dyskotek i klubów jazzowych. Zdecydowanie warto skierować swe kroki do 🏃 *Chez Geneviève*, *Tylko w MARCO POLO* rue Tripière 1 bis, od dawien dawna najpopularniejszej knajpy jazzowej, czy nie mniej znanej *Le Factory*, place Bachelier 23.

INFORMACJA

Office de Tourisme
Donjon du Capitole, 31 000 Toulouse, ☎0561110222, fax 056122 0363, www.Mairie-Toulouse.fr.

ATRAKCJE W OKOLICY

Castelnaudary [171 D5]
Szczególnie staromiejska dzielnica miejscowości (11 tys. mieszk., 59 km na południowy wschód od Tuluzy) warta jest wycieczki. Znajdują się tu interesujące domy z XVI i XVIII w. oraz kościół St-Michel (XIII–XIV w.) z pięknym chórem. Dobrą kuchnię oferuje restauracja *Le Tirou*, avenue M. de Langle 90, ☎0468941595, nd. wieczorem i pn. zamkn., €–€€.

W krainie światła

Region pełen kontrastów – gorące słońce, błękitne morze, najwyższe góry i unikatowe zabytki

Jazda po Autoroute du Soleil sprawia przyjemność jedynie poza sezonem. Niestety, letnie korki na drogach doliny Rodanu (Rhône) są smutną regułą. Do Prowansji (Provence) i na Lazurowe Wybrzeże (Côte d'Azur) prowadzi jednak jeszcze jedna trasa: Route Napoléon. Nie jest to może najszybszy wariant, ale szlak, który w roku 1815 przemierzył Napoleon, by przejąć władzę w Paryżu, wart jest nadłożenia kilkudziesięciu kilometrów. Po drodze mija się Mont Blanc, górzystą Sabaudię i tę część francuskich Alp, w której znajdują się najsłynniejsze ośrodki sportów zimowych. Szczególnie wspaniałym terenem do górskich wycieczek jest dziewiczy Parc National du Mercantour przy włoskiej granicy z bogatym światem roślinnym i zwierzęcym.

Monte Carlo – wejście do kasyna

Nigdzie indziej nie można silniej chłonąć atmosfery południa, jego barw i zapachów niż w Prowansji i Langwedocji-Roussillon. Cały obszar od dolnego Rodanu i surowych urwisk Górnej Prowansji (Haute-Provence) aż po Lazurowe Wybrzeże oraz podnóże Pirenejów skąpany jest w gorącym słońcu. Właściwa Prowansja, kolonizowana już w starożytności przez Greków i Rzymian, zajmuje stosunkowo niewielki trójkątny obszar pomiędzy Awinionem, Aix-en-Provence i Arles. Takie miejscowości na wybrzeżu, jak Nicea, Cannes czy St-Tropez, dawno już straciły swój elitarny, nieco snobistyczny charakter. Co roku latem turyści biją w nich rekordy frekwencji. Niewiele mniej popularne są plaże Langwedocji-Roussillon, od La Grande-Motte aż po granicę hiszpańską. W głębi lądu oraz w Górnej Prowansji znajdują się z kolei wspaniałe pomniki przyrody, m.in. Grand Canyon du Verdon, Gorges du Tarn i Corniche de Cévennes; podglądanie mężczyzn grających w bule na wiejskim placyku gdzieś na południu Francji to po prostu czysta przyjemność.

AIGUES-MORTES

[172 C5] Ani okoliczny krajobraz, ani sama miejscowość (6 tys. mieszk.) nie prezentują się na pierwszy rzut oka zbyt gościnnie.

W Grand Canyon du Verdon

Jednak założenie urbanistyczne miasta, wybudowanego w XIII w. przez Ludwika Świętego jako port dla wypraw krzyżowych, jest zupełnie wyjątkowe. Starówkę otacza mur obronny o długości 1,6 km; w Tour de Constance, najpotężniejszej wieży obwarowań miejskich, więziono niegdyś hugenotów. Wielu z nich musiało spędzić w budowli większość swojego życia, m.in. Anne Gausset, którą zamknięto w wieży na 45 lat, czy Marie Durand (na 37 lat). Noclegi oferuje mały, ale przyjemny hotel z restauracją *Les Arcades*, 9 pokoi, boulevard Gambetta 23, ☎0466538113, fax 0466537546, €€–€€€. 6 km na południowy zachód od miasta znajduje się kąpielisko morskie Le Grau-du-Roi, największy port jachtowy w Europie z ponad 4,3 tys. miejsc.

Dzień targowy w Aix-en-Provence

AIX-EN-PROVENCE

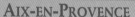

[173 D5] ★ ↗ Przytulna stolica (135 tys. mieszk.) Prowansji, z rozłożystymi platanami, barokowymi pałacami, fontannami i staromiejskimi uliczkami, prezentuje się pogodnie i elegancko. Na letni Międzynarodowy Festiwal Muzyczny zjeżdżają goście z całego świata. Centrum miasta przecina skryta w cieniu drzew, wspaniała ulica cours Mirabeau. Oprócz potężnej katedry St-Saveur, łączącej różne style architektoniczne: od romańskiego po renesans, warto zobaczyć także Pavillon de Vendôme (1667 r.) oraz liczne pałace. Ciekawe są również muzea: Musée Granet, place St-Jean-de-Malte, codz. oprócz wt. 10.00–12.00 i 14.00–18.00; Atelier Paul-Cézan-

ne, avenue Paul-Cézanne 9, codz. latem 10.00–18.30, poza sezonem 10.00–12.00 i 14.30–18.00. Fondation Vasarely, avenue Marcel Pagnol 1, latem codz. oprócz wt. 10.00–13.00 i 14.00–19.00, sb. i nd. 10.00–19.00, mieści się w wielkim, futurystycznym gmachu, zaprojektowanym przez samego mistrza op-artu, Victora Vasarely'ego. Rozkosze podniebienia gwarantują restauracje *Le Clos de la Violette*, avenue Violette 10, ☎0442233071, śr. po południu, sb. i nd. zamkn., €€€, oraz *Chez Maxim*, place Ramus 12, ☎044226 2851, czynne codz., €. Na nocleg polecić można śmiało *Hôtel des Augustins*, 20 pokoi, rue de la Masse 3, ☎044227 2859, fax 0442267487, €€€, oraz piękną *Villa Gallici*, 14 pokoi, avenue de la Violette 18 bis, ☎044223 2923, fax 0442963045, €€€.

ANTIBES

[173 F5] Położone na półwyspie miasto (72,5 tys. mieszk.) tworzy z Juan-les-Pins nadmorski kurort o wyjątkowym charakterze. 🏃 Juan-les-Pins to miejsce szczególnie chętnie odwiedzane przez młodych (festiwal jazzu i piosenki francuskiej). W Château Grimaldi w Antibes mieści się Musée Picasso z kolekcją sztuki współczesnej i pracami Picassa z lat 1946–1947, latem codz. oprócz pn. 10.00–18.00. Interesujące jest również Musée Archéologique, latem codz. oprócz pn. 10.00–18.00, ze znaleziskami z dna morskiego oraz z antycznego Antibes (Antipolis). Między piniami półwyspu Cap d'Antibes wznoszą się luksusowe wille i pałace, m.in. *Hôtel du Cap*, w którym tradycyjnie zatrzymują się największe gwiazdy. Rozsądniej będzie jednak przenocować w pogodnym *Bleu Marine* nieopodal plaży, 18 pokoi, chemin Quatre Chemins, ☎04939 59026, fax 0493748484, €€.

Tylko w MARCO POLO

ARLES

[172 C5] W przyjaznym mieście nad Rodanem (55 tys. mieszk.) zachowało się mnóstwo zabytków z czasów, gdy Arles (wóczas Arelatum) było stolicą rzymskiej Galii. Amfiteatr, w którym odbywają się walki byków i imprezy folklorystyczne, mógł niegdyś pomieścić 20 tys. widzów. Cennym zabytkiem romańskim jest Église St-Trophime; na szczególną uwagę zasługują zwłaszcza piękne krużganki. W dawnym klasztorze St-Trophime urządzane są wystawy (tylko latem, codz. 9.00–18.30).

Lista przebojów Marco Polo „Francja płd.-wsch."

★ **Aix-en-Provence**
Wielki festiwal muzyczny to główna atrakcja lata. (s. 118)

★ **Awinion**
Papieski Awinion jest miastem na wskroś współczesnym. (s. 120)

★ **Les Baux**
Zamek-orle gniazdo – miejsce naprawdę niezwykłe. (s. 120)

★ **Corniche des Cévennes**
Widoki na górskiej drodze przyprawiają o zawrót głowy. (s. 124)

★ **Gorges du Tarn**
Przepiękny kanion to prawdziwy cud natury. (s. 124)

★ **Carcassonne**
Ideał średniowiecznego miasta obronnego. (s. 122)

★ **Montpellier**
Niezwykła dzielnica Antigone. (s. 133)

★ **Nîmes**
Żadne miasto we Francji nie ma tylu antycznych budowli. (s. 134)

Museon Arlaten, rue de la République, przenosi w swych pałacowych wnętrzach z 33 komnatami do Prowansji sprzed stuleci; codz. oprócz pn. latem 9.30–13.00 i 14.00–18.30, poza sezonem 9.30–12.30 i 14.00–17.00. Musée d'Arles Antique poświęcone jest sztuce pogańskiej, codz. latem 9.00–19.30, poza sezonem 10.00–17.00. Nazwę Les Alyscamps (Pola Elizejskie) nosi cmentarz z III w., z którego zachowała się jedynie allée des Tombeaux z pozbawionymi ozdób kamiennymi trumnami. W centrum zaprasza wygodny hotel *D'Arlatan*, 45 pokoi, rue du Sauvage 26, ☎0490935666, fax 0490496845, www.hotel-arlatan.fr, €€–€€€, a także *St-Trophime*, 22 pokoje, rue Calade 16, ☎0490968838, fax 0490969219, €–€€.

ATRAKCJE W OKOLICY

Les Baux   [173 D5]

★ Ruiny zamku na skalistej wyżynie, 19 km na wschód od Arles, wznoszą się ponad wsią z mnóstwem barów, kawiarni i sklepów z pamiątkami – dawny dwór trubadurów okupują dziś tłumy turystów. Miejsce odkrywa swoje uroki dopiero poza sezonem; to co pozostało z Les Baux po zdobyciu Prowansji przez Francję w 1481 r. oraz po zniszczeniu protestanckiej miejscowości przez Ludwika XIII w 1632 r., skupia jak w soczewce wszystko, co w regionie najpiękniejsze. Należy koniecznie odwiedzić Val d'Enfer, na północnym zachodzie, z fantastycznym krajobrazem skalnym, grotami i Cathédrale d'Images w dawnych kamieniołomach. 9 km na południowy zachód od Les Baux znajduje się młyn Alphonse'a Daudeta z niewielkim muzeum (latem codz. 9.00–12.00 i 14.00–18.00).

AWINION

[173 D5] ★ Znakiem rozpoznawczym pięknego Awinionu (Avignon, 86 tys. mieszk.) jest potężny pałac papieski wznoszący się nad Rodanem (1334–1362). Z budowli prowadzi przez rzekę urywający się w połowie Pont d'Avignon (Pont St-Bénézet). W latach 1309–1377 rezydowało w Awinionie na wygnaniu siedmiu papieży (tzw.

Panorama Les Baux, na wzgórzu w oddali ruiny zamku

Dwie wieże nad bramą wjazdową do pałacu papieskiego w Awinionie

awiniońska niewola papieży). Wysokie mury miejskie z ośmioma bramami pochodzą z okresu 1350–1368. Główną atrakcją sezonu letniego jest urządzany od 1947 r. 🏃 Międzynarodowy Festiwal Teatralny z przedstawieniami na dziedzińcu pałacu papieskiego oraz na terenie Starego Miasta.

Palais des Papes
(pałac papieski)

Przypominający twierdzę pałac, rezydencja czterech papieży, wzniesiony został za czasów Benedykta XIII (1334–1342), Klemensa VI oraz Innocentego VI (1342–1362). Zwiedzanie rozpoczyna się od Palais-Vieux. W dwóch kaplicach, a także w Chambre du Pape i Chambre du Cerf (Wieża Anielska) zachowały się piękne freski Matteo Giovanettiego da Viterbo. Palais-Neuf mieści wielką (52 m długości) salę audiencyjną z freska-

mi Giovanettiego. Cenne są muzealne zbiory malarstwa, zawierające m.in. dzieła szkoły włoskiej (gotyk, wczesny renesans). Place du Palais, codz. latem 9.00–19.00, zimą 9.30–17.45, muzeum codz. oprócz wt. latem 9.00–20.00, poza sezonem 9.30–17.45 lub 18.30.

Pont d'Avignon (Pont St-Bénézet)

Most pochodzi z lat 1177–1185 i został częściowo zniszczony w roku 1668. Konstrukcja, osławiona starą dziecięcą piosenką *Sur le pont d'Avignon l'on y danse, l'on y danse...*, łączyła miasto z Villeneuve-lès-Avignon.

Musée Calvet

Wartościową kolekcję sztuki prezentowaną w muzeum podarował miastu dr Calvet; umieszczono ją w Hôtel de Villeneuve-Martignan. Z powodu prac renowacyjnych obiekt jest obecnie dostępny tylko częściowo. Rue Joseph-Vernet 65, codz. oprócz wt. 10.00–13.00 i 14.00–18.00.

Christian Étienne

Mistrz kuchni oczarowuje oryginalnymi, kunsztownymi daniami z produktów regionalnych – np. *terrine de légumes en gelée sur faiselle aux herbes* lub *filet de rougets au coulis d'olives noires*. We wnętrzu historycznych murów miejskich, rue Mons 10, ☎0490861650, VII czynne codz., pozostałe miesiące nd. i pn. zamkn., €€€.

L'Isle Sonnante

Wyrafinowana, a zarazem prosta kuchnia i ujmująca obsługa. Rue Racine 7, ☎0490825601, VIII nd. i pn. zamkn., €€.

Mercure Cité des Papes

Hotel w nowoczesnym budynku nieopodal pałacu papieskiego. Przestronne, komfortowe pokoje z klimatyzacją. 90 pokoi, rue Jean-Vilar 1, ☎0490809300, fax 0490809301, www.mercure.com, €€–€€€.

Mignon

Przytulny i wygodny hotel, również niedaleko papieskiej rezydencji. 16 pokoi, rue Joseph-Vernet 12, ☎0490821730, fax 0490857846, www.hotel.mignon. com, €.

Office de Tourisme

Cours Jean-Jaurès 41, ☎043274 3274, fax 0490829503, www.ot-avignon.fr.

Pont du Gard   [172 C5]

Najcenniejszy zachowany akwedukt rzymski, 25 km na zachód od Awinionu, zbudowany został w 19 r. n.e. i zaopatrywał w wodę miasto Nîmes. Arcydzieło architektury ma 275 m długości i 49 m wysokości. Z powodu ogromnej liczby turystów zaleca się zwiedzanie wczesnym rankiem lub wieczorem.

CANNES

[173 F5] Położone na Lazurowym Wybrzeżu miasto (67 tys. mieszk.) wciąż cieszy się sławą miejsca, gdzie spotykają się „piękni i bogaci" – nie tylko przy okazji festiwalu filmowego. Aby zobaczyć i zostać zobaczonym, należy pojawić się na La Croisette, nadmorskiej alei otoczonej przez luksusowe hotele i palmy. Bardzo malownicze jest stare Cannes, na zboczu wzgórza Suquet. Na ⤴ szczycie, z którego roztacza się widok na miasto i port, wznosi się Église Notre-Dame de l'Espérance, reprezentujący lokalną odmianę gotyku. Koniecznie trzeba wybrać się na Îles de Lérins; tylko dwie największe wyspy, Île Sainte-Marguerite i Île Saint Honorat, są zamieszkane. Rejs 15 lub 30 min z Vieux Port, Gare Maritime.

CARCASSONNE

[172 A6] ★ Otoczona przez zbrojne w wieże, wysokie i potężne mury staromiejska część Carcassonne (44 tys. mieszk.) jest wyjątkowa w skali całego kontynentu.

Spacer po boulevard de la Croisette w Cannes jest obowiązkowy

Fortyfikacje powstały na przełomie XII i XIII w., częściowo z wykorzystaniem resztek obwarowań galijsko-rzymskich z V w. Mury zewnętrzne wzmocniono 14 wieżami, wewnętrzne aż 24. W samym *cité* mieszka dziś zaledwie 139 osób. Z XII w. pochodzi Château Comtal z Muzeum Archeologicznym, codz. latem 9.30–19.30, poza sezonem 9.30–18.00. W połowie XIII w. powstał zewnętrzny pierścień murów, a w końcu stulecia wzniesiono prowadzący do miasta Porte Narbonnaise, tour du Trésau i południowe zamknięcie pierścienia wewnętrznego z wieżami. Budowę potężnego kościoła St-Nazaire rozpoczęto w 1206 r. Wnętrze z pięknym gotyckim transeptem i chórem (1270–1320) zdobią liczne, średniowieczne rzeźby nagrobne. Dobrą kuchnię i rustykalną atmosferę oferuje *Auberge de Dame Carcas*, place du Château 3, ☎0468712 323, wt. w porze południowej i pn. zamkn., €. Na wyróżnienie zasługuje niewielki, lecz bardzo porządny *Hôtel du Vieux Pont*, 12 pokoi, rue Trisalle, ☎046825 2499, fax 0468476271, €–€€, oraz zadbana i sielska *Brasserie Chez Saski*, place de l'Église, ☎046871 9871, czynne codz., €–€€.

CHAMONIX

[173 E2] Słynny ośrodek sportów zimowych (9,8 tys. mieszk.) i stolica francuskiego alpinizmu leży u stóp masywu Mont Blanc. Z ✹ Aiguille du Midi (3842 m n.p.m., kolejka linowa) rozpościera się wspaniała panorama Mont Blanc, Mont Maudit i Grandes Jorasses. Kolej zębata dociera do ✹ Montenvers (1913 m n.p.m.), skąd roztacza się widok na Mer de Glaces, jęzor lodowca o długości 7 km. Godny polecenia jest hotel *L'Arve*, 40 pokoi, impasse Anémones 60, ☎0450530231, fax 0450535692, €€, a piękne widoki na góry to atut *Sapinière Montana*, 30 pokoi, rue Mummery 102, ☎0450530763, fax 0450531014, €€€.

FLORAC

[172 C4] Malownicze szczyty pasma Sewennów, w których sercu leży miasteczko Florac (2 tys. mieszk.), budzą tęsknotę za pieszymi wędrówkami. Miejscowość jest siedzibą władz Parc National des Cévennes – zainteresowani informacjami na jego temat powinni się udać do *château*, budowli z XVI w., ozdobionej dwiema potężnymi, okrągłymi wieżami. Codz. latem 9.00–19.00, poza sezonem 9.00–12.30 i 14.00–18.30. Kuchnię i noclegi oferuje *La Lozerette*, 5,5 km na północny wschód, w Cocurès, 21 pokoi, ☎046 645 0604, fax 0466451293, €€.

ATRAKCJE W OKOLICY

Corniche des Cévennes [172 C4]
〰 ★ Górską szosę kazał wykuć w skale na początku XVIII w. Ludwik XIV. Miała ona umożliwić wojskom królewskim dostęp do terenów opanowanych przez zbuntowanych kamizardów. Dziś jest to jedna z najpiękniejszych tras widokowych we Francji; prowadzi z Florac do St-Jean-du-Gard i mierzy ok. 53 km. W St-Laurent-de-Trèves znaleziono pozostałości dinozaurów, których wiek szacuje się na niemal 200 mln lat. Bardzo efektowny jest widok wapiennych wyżyn, nazywanych *causses*.

Gorges du Tarn   [172 B5]
★ Rzeka Tarn wcina się w skałę między St-Ènimie a Les Vignes na głębokość 400–500 m, tworząc najpiękniejszy chyba kanion Francji. Do najciekawszych miejsc na 83-kilometrowej trasie między Florac a Millau należą Belvédère de Ca-

stelbouc, Cirque de Plougnadoires, Le Point Sublime oraz Le Pas de Souci. Na bazę wypadową do wycieczek po kanionie i okolicach dobrze nadaje się miejscowość La Malène i tamtejszy *Hôtel Manoir de Montesquiou*, 12 pokoi, ☎046648 5112, fax 0466485047, www.manoir-montesquiou.com, €€–€€€.

GORDES

[173 D5] Niezwykle malownicze, górskie położenie oraz renesansowy zamek z muzeum sztuki Pol Mara, codz. 10.00–12.00 i 14.00–18.00, uczyniły z tej prowansalskiej wsi wielki turystyczny magnes. Typowo regionalny charakter ma elegancki hotel *La Bastide de Gordes*, 35 pokoi, ☎0490721212, fax 0490720520, €€€, w budynku z XVI w.

4 km na południowy zachód od miejscowości znajduje się niezwykła Village des Bories, której początki sięgają epoki brązu. *Bories* to jedno- lub dwukondygnacyjne kamienne chaty, przypominające swoją konstrukcją ule. Budowle tego rodzaju wznoszono do XVIII w. i używano jako spiżarni, warsztatów, piwnic, a nawet pomieszczeń mieszkalnych. Latem codz. od 9.00 do zachodu słońca.

GRASSE

[173 E–F5] Zbudowane na wysokiej wapiennej skale Grasse (44 tys. mieszk.) ma wszystkie zalety kurortu klimatycznego. Uliczki i schody wspinają się ku Staremu Miastu z pięknymi kamieniczkami. Grasse słynie z wytwarzanych tu

Uliczny malarz z Gordes

esencji kwiatowych, wykorzystywanych następnie przez producentów perfum. Musée International de la Parfumerie, place de Cours 8, oferuje nie tylko wszystkie informacje na ten temat, ale także ogród zapachów, VI–IX, codz. 10.00–18.30, poza sezonem codz. oprócz wt. 10.00–12.30 i 14.00–17.30. Villa Fragonard jest siedzibą muzeum poświęconego urodzonemu w Grasse malarzowi, Jeanowi Honoré Fragonardowi, godziny otwarcia jak wyżej. Posilić się można w restauracji *Pierre Balthus*, rue Fontette 15, ☎0493363290, €, a przenocować – w hotelu *Panorama*, 36 pokoi, place de Cours 2, ☎0493368080, fax 0493369204, €–€€, lub *Hôtel du Patti*, 73 pokoje, place Patti, ☎04933 60100, fax 0493363640, €€.

GRENOBLE

[173 D3] Na tle imponujących gór sięgających 3000 m n.p.m., na zakręcie doliny Isère rozlewa się morze dachów starej stolicy Delfina-

tu (153 tys. mieszk.). Wielkomiejskie i dynamiczne Grenoble kojarzy się przede wszystkim z zimowymi igrzyskami olimpijskimi w 1968 r. W roku 1992 wybór padł na odległe zaledwie o 70 km Albertville. We Francji Grenoble uchodzi za *ville pilote*, młode i aktywne miasto awangardy: ośrodek elektrotechniki, badań jądrowych i nauk przyrodniczych. Amatorzy białego szaleństwa znajdą nieopodal idealne dla siebie warunki – Val d'Isère, Courchevel, Tignes, Alpe-d'Huez. Kolejka linowa dociera do 🔆 Fort de la Bastille, z którego roztacza się zapierająca dech w piersiach panorama. W dzielnicy staromiejskiej wznoszą się katedra i Palais de Justice, dawny parlament stanowy Delfinatu (Dauphiné). Znakomity zbiór malarstwa zgromadziło Musée de Grenoble, codz. oprócz wt. 11.00–18.30. W XVII-wiecznym klasztorze urządzono poświęcone kulturze i historii regionu Musée Dauphinois, codz. oprócz wt. 10.00–18.00. Rodzinny dom Stendhala można zwiedzić przy Grande Rue 20, codz. 10.00–12.00 i 14.00–18.00, 10 VI–10 VII zamkn. Maison Stendhal, rue Hector-Berlioz 1, czynny jest codz. oprócz pn. 14.00–18.00. Dobry standard oferuje hotel *Rive Droite*, 56 pokoi, quai France 20, ☎0476439292, fax 0476870404, €€.

LOURMARIN

[173 D5] Ta piękna wieś to idealny punkt wypadowy do wycieczek po lasach i skałach Lubéron. Mieszkał tu Camus (dom można oglądać tylko z zewnątrz); na cmentarzu znajduje się jego skromny grób. Warto obejrzeć wznoszący się nieopodal renesansowy zamek, codz. 9.30–11.30 i 15.00–18.00, z wnętrzami wyposażonymi w prowansalskie meble i z wielkimi kominkami. Posiłki i noclegi oferuje *Le Moulin de Lourmarin*, 20 pokoi, rue Temple, ☎0490680669, fax 0490683176, €€€.

NARBONNE

[172 B6] Wokół dawnego miasta portowego (46 tys. mieszk.) rozciąga się płaska równina. Port uległ zapiaszczeniu, a morze znajduje się dziś w odległości aż 12 km. Spacerując po Starym Mieście, nie sposób ominąć katedry St-Just, której 41-metrowy chór z lat 1272–1332 należy do najwspanialszych w całej Francji. Ozdobą skarbca kościelnego jest piękna flamandzka *Tapisserie de la Création* (XV w.), utkana ze złota i jedwabiu. Palais des Archevêques (pałac biskupi) to interesująca kompilacja stylów różnych epok, od XII do XVII w.

LYON

[173 D2] Autoroute de Soleil pozwala ominąć centrum metropolii nad Rodanem (445 tys. mieszk.), nie warto jednak tego robić, ponieważ trzecie co do wielkości miasto Francji ma sporo do zaoferowania. Przydomek „gastronomicznej metropolii świata" przydał Lyonowi splendoru. Blasku dodaje mu również „architektura światła" Alaina Gaillota, któ-

ra wieczorami spowija budynki, mosty oraz nabrzeża Rodanu i Saony (Saône) czarodziejską poświatą. Lyon już w starożytności był stolicą podbitych przez Cezara plemion galijskich, a od XVI w. zaczął rozwijać się jako centrum jedwabnictwa, druku, bankowości i handlu. Świadczą o tym piękne renesansowe pałace w spokojnej Vieux Quartier oraz takie reprezentacyjne place, jak choćby place Bellecour na 5-kilometrowym półwyspie między Rodanem a Saoną. Podczas spaceru warto skierować kroki właśnie w ten rejon, aby poczuć tętno miasta i odpocząć w jednym z ogródków kawiarnianych przy place des Terreaux.

ZWIEDZANIE

Basilique Notre-Dame de Fourvière

Granitowe wzgórze, na którym wznosiła się niegdyś rzym-

Lyon, wąska uliczka Starego Miasta

ska osada, 175 m nad brzegiem Saony, połączone jest z miastem kolejką linową. Dziś rozpiera się na nim wyświęcona w 1896 r. bazylika – przedziwny melanż architektonicznych stylów.

Vieux Lyon (Stare Miasto)

Na prawym brzegu Saony, w zadbanej dzielnicy wokół katedry St-Jean, tłoczą się renesansowe domy o fasadach zdradzających wpływy florenckie; nie brak tu też butików, herbaciarni i kawiarni.

MUZEA

Musée des Beaux-Arts

Dzięki bezcennym kolekcjom sztuki antycznej, rzeźby i malarstwa muzeum należy do najwspanialszych we Francji. Place des Terreaux 20, codz. oprócz wt. 10.30–18.00.

Musée Lumière

Kinematograf nr 1, wynalazek braci Lumière, sprawił, że w 1895 r. mogła się odbyć pierwsza w historii projekcja kinowa. W willi rodzeństwa prezentowane jest słynne urządzenie, pierwsze kolorowe zdjęcia oraz inne wynalazki. Ville d'Invention du Cinematograph, rue du Premier Film 25, www.institut-lumiere.org, codz. oprócz pn. 11.00–18.30.

Musée des Tissus

Wszystko co dotyczy tkanin – tych z zamierzchłych czasów, z dalekich krajów i tych z miejscowych tkalni jedwabiu. Rue de la Charité 34, www.musee-des--tissus.com, codz. oprócz pn. 10.00–17.30.

GASTRONOMIA

Le Bistro de Lyon

W wystroju z czasów belle époque podaje się lyońską kuchnię domową. Rue Mercière 64, ☎047 8384747, pn. wieczorem i nd. zamkn., €.

Le Splendid

Mistrz kuchni z Vonnas, Georges Blanc, zyskał sobie w Lyonie świetną markę; najwyższa jakość i przystępne ceny. Place Jules Ferry 3, ☎0437248585, nd. zamkn., €€.

NOCLEGI

Aristes

Komfortowy hotel w samym centrum miasta. 45 pokoi, rue Gaspard-André 8, ☎0478420488, fax 0478429376, €€.

Globe et Cécil

Niezbyt duży, tradycyjny hotel w śródmieściu. 60 pokoi, rue Gasparin 21, ☎0478425895, fax 0472 419906, €€€.

Au Patio Morand

Zadbany, bardzo wygodny i niezbyt drogi hotel w centrum. 31 pokoi, rue de Crequi 99, ☎0478 526262, fax 0478248788, www.hotel-morand.fr, €€.

ŻYCIE NOCNE

Oferta jest bardzo szeroka i na wysokim poziomie. Oprócz klubów nocnych i barów nie brakuje popularnych *cafés-théâtres*, jak np. ✻ *Espace Gerson*, place Gerson 1, czy *Le Complexe du Rire*, rue des Capucins 7, klubów jazzowych, jak ✻ *Hot Club*, rue Lanterne 26, oraz dyskotek typu 🏃 *Années Folles*, quai Romain-Rolland 13.

Office de Tourisme
Place Bellecour, ☎0472776969, fax 0478420432, www.lyon-france.com.

Bourg-en-Bresse [173 D2]
Stara stolica (40,6 tys. mieszk.) Bresse, krainy słynącej z wytwornej sztuki kulinarnej, 60 km na północ od Lyonu, ma do zaoferowania nie tylko wyszukane przysmaki, ale i skarby sztuki: w klasztorze i kościele Brou, codz. latem 9.00–18.00, poza sezonem 9.00–12.00 i 14.00–17.00, kilometr od centrum, zachowały się m.in. wspaniałe nagrobki Małgorzaty Austriackiej, jej małżonka Filiberta oraz Małgorzaty de Bourbon, a także kolekcja rzeźb, obrazów i innych dzieł sztuki kościelnej. Spokojnie i bardzo komfortowo przenocować można w hotelu *Prieuré*, 14 pokoi, boulevard Brou 49, ☎0474224460, fax 0477227107, €€–€€€.

Vienne [173 D3]
Stare, położone 35 km na południe od Lyonu miasto (29 tys. mieszk.) zasługuje przynajmniej na krótką wizytę. Zachowały się tu ślady z czasów, kiedy Vienne było drugim ośrodkiem południowej Galii, m.in. świątynia Augusta i Liwii (25 r. p.n.e.), Portiques des Thermes Romains i wykopaliska, które prezentowane są w Musée Lapidaire, latem codz. oprócz wt. 9.30–13.00 i 14.00–18.00. Muzeum mieści się w dawnym kościele St-Pier-

re, pochodzącym z czasów wczesnego średniowiecza. Luksusowe pokoje i wyrafinowaną kuchnię zapewnia *La Pyramide*, 20 pokoi, boulevard Fernard-Point, ☎047453 0196, fax 0474856973, www.lapyramide.com, €€€.

[173 D5] Drugie co do wielkości miasto Francji (800 tys. mieszk.) jest ze swoimi niekończącymi się przedmieściami i największym portem w kraju miejscem pełnym sprzeczności. Marsylia (Marseille) fascynuje i odpycha. Niepowtarzalna śródziemnomorska i wielkomiejska zarazem atmosfera panuje w Vieux Port (Stary Port), pełnym jachtów i straganów. Jako tyglowi wszystkich narodów Morza Śródziemnego miastu nie udaje się jednak uporać ze złą sławą kryminalnego centrum regionu. Być może zmieni się to dzięki realizacji projektu Euromediterranée, który przewiduje gruntowną modernizację starego śródmieścia od La Joliette (nieopodal odnowionej już dzielnicy doków) aż po Gare St-Charles.

Canabière
Słynna arteria, niegdyś duma miasta, po latach upadku odzyskuje dziś powoli swój dawny blask.

Château d'If
Z Vieux Port łodzie wycieczkowe odpływają do dawnej wyspy więziennej z wybudowanym w 1542 r, fortem. Najsłynniejszym skazańcem był Edmond Dantès, hrabia Monte Christo.

Notre-Dame-de-la-Garde

◁▷ Na 162-metrowym wzgórzu wznosi się wybudowana w latach 1853–1864 bazylika z wysoką na 46 m dzwonnicą. Wnętrze zdobią piękne mozaiki i dary wotywne. Wspinaczka opłaca się przede wszystkim ze względu na wspaniały widok.

Promenade La Corniche

◁▷ Długa nabrzeżna ulica wiedzie na wschód od Parc du Pharo obok Vieux Port przez promenade de la Plage aż do Plage du Prado.

Vieux Port

⚐ W Starym Porcie zatrzymują się już tylko mniejsze okręty oraz łodzie motorowe i kutry. Na quai des Belges kwitnie handel, nie brak też dobrych restauracji oferujących *bouillabaisse*.

MUZEA

W Marsylii jest wiele interesujących muzeów gromadzących eksponaty z różnych dziedzin. Wyróżniają się wśród nich m.in. Musée d'Histoire de Marseille, Centre Commercial de la Bourse, codz. oprócz nd. 12.00–19.00; Musée de la Marine z ciekawą wystawą o historii żeglugi morskiej w Palais de la Bourse, codz. oprócz wt. 10.00–12.00 i 14.00–18.30; Musée des Docks Romains z wieloma znaleziskami, m.in. dziobem Galère de César, place Vivaux, codz. oprócz pn. latem 11.00–18.00, poza sezonem 11.00–17.00; Musée des Beaux-Arts ze zbiorami dzieł dawnych mistrzów (m.in. Daumiera), Palais Longchamp, codz. oprócz pn. latem 11.00–18.00, poza sezonem 11.00–17.00.

GASTRONOMIA

Péron

◁▷ Piękny widok na Château d'If i dobra kuchnia. Corniche John-F-Kennedy 119, ☎0491524370, czynne codz., €€–€€€.

Tylko w MARCO POLO

Jachty w marsylskim Vieux Port

ZAKUPY

Główną ulicą handlową jest Canabière. Niskie ceny oferują zwłaszcza sklepy przy pierwszej przecznicy po prawej, patrząc od Vieux Port. Przyjemnie pobuszować też po rozmaitych targach, m.in. rybnym (quai des Belges) i kwiatowym (na Canabière).

NOCLEGI

Alizé

Tylko w MARCO POLO

Wygodny hotel, w samym centrum Vieux Port, pokoje z widokiem! 39 pokoi, quai des Belges 35, ☎0491336697, fax 0491548006, www.alize-hotel.com, €€.

New Hôtel Bompard

Nad Corniche Kennedy, cichy, wygodny, z basenem. 46 pokoi, rue Flots Bleus 2, ☎0491992222, fax 0491310214, www.new-hotel.com, €€–€€€.

Le Richelieu

Warto zarezerwować pokój z zachwycającym widokiem na morze. 21 pokoi, corniche John-F--Kennedy 52, ☎0491310192, fax 0491593809, €.

ŻYCIE NOCNE

✻ Oferta dla amatorów wieczornych rozrywek jest bardzo szeroka: od klubów jazzowych, dyskotek, kabaretów po operę, słynne przedstawienia baletowe Rolanda Petita i koncerty symfoniczne. Należy unikać nocnych spacerów po mieście.

INFORMACJA

Office de Tourisme

La Canabière 4, 13001 Marseille, ☎0491138900, fax 0491138920, www.marseille-tourisme.com.

ATRAKCJE W OKOLICY

Bandol   [173 D6]

40 km na południowy wschód od Marsylii, nad piękną zatoką, znajduje się niewielkie kąpielisko z kilkoma piaszczystymi plażami i skalistymi zatoczkami.

Dostępne tylko od strony morza: zatoki Calanques

Calanques [173 D6]

Między stromymi skałami wapiennymi na długości 20 km wcinają się w wybrzeże niezwykle malownicze wąskie zatoczki. Intrygujący krajobraz najlepiej podziwiać, płynąc łodzią od strony Cassis.

Cassis [173 D6]

Miasteczko portowe, 22 km na południowy wschód od Marsylii, nawet w szczycie letniego sezonu zachowuje urok niewielkiego kurortu. Niemała w tym zasługa miejscowych rybaków.

Corniche des Crêtes [173 D6]

Między Cassis a La Ciotat górska droga wspina się do Pas de la Colle; wspaniały widok roztacza się z ❧❧ Mont de la Saoupe.

Tulon [173 E6]

Dzięki swemu położeniu Tulon (Toulon, 168 tys. mieszk.), 55 km na wschód od Marsylii, pełni już od kilku stuleci funkcję najważniejszego śródziemnomorskiego portu wojennego Francji. Z pewnością nie jest to miejscowość letniskowa, ale warto przepłynąć łodzią wzdłuż portu lub redy.

MONAKO

[173 F5] Na 1,9 km² gęsto zabudowanego wybrzeża żyje 30 tys. mieszkańców malutkiego Księstwa Monako (Principauté de Monaco). Pozyskane w 1308 r. przez Genueńczyka Francesco Grimaldiego Monako należało w latach 1524–1641 do Hiszpanii, w okresie 1793–1814 do Francji, a pomiędzy rokiem 1815 a 1860 pozostawało pod protektoratem Królestwa Sardynii. Od roku 1861 księstwo jest na mocy umów międzynarodowych ściśle związane z Francją. Około 5 tys. osób, które posiada obywatelstwo monakijskie, nie płaci żadnych podatków, o ile mieszkało na terenie państwa jeszcze przed 1957 r. Monako nie jest już więc rajem dla uchodźców podatkowych. Od 1861 r. do czasów I wojny światowej księstwo pełniło rolę miejsca schadzek europejskiej arystokracji. Dziś żyje głównie z masowej turystyki: Monako odwiedza 3 mln osób rocznie.

ZWIEDZANIE

Le Palais Princier (pałac książęcy)

Dawne rodowe gniazdo Grimaldich z XIII-wiecznymi fragmentami jest dziś również siedzibą rządu. Sesja fotograficzna dla turystów: zmiana warty o 11.55. Pałac udostępniony jest do zwiedzania, kiedy książę przebywa za granicą (najczęściej VI–IX, 9.30–18.00, X 10.00–17.00). Place du Palais, www.palais.mc.

Jardin Exotique

To jeden z najpiękniejszych ogrodów botanicznych Europy z przytłaczającą ilością roślin tropikalnych i subtropikalnych. Bardzo ciekawe są także groty obserwatorium (30 min). Musée d'Anthropologie Préhistorique mieści się w górnej części ogrodu. Latem codz. 9.00–19.00.

Kasyno

Nawet dla wrogów hazardu Grand Casino w Monte Carlo pozostaje największą atrakcją księstwa. Budynek zaprojektowany w 1878 r. przez Charles'a Graniera, architekta paryskiej opery, pyszni się bogatym stylem belle époque. Można go zwiedzić bezpłatnie także wewnątrz i wyobraźnią przenieść się w czasy, gdy stoliki oblegane były przez arystokrację, wielką burżuazję i zwykłych awanturników. Na zewnątrz zachwycająco prezentują się piękne ogrody z tarasem widokowym. Place du Casino, Salons Européens codz. od 12.00, Salons Privés od 16.00 (sb. i nd. od 15.00).

Musée Océanographique

Akwarium z kilkoma basenami; w sąsiedztwie centrum badawcze Jacques'a Cousteau. Avenue St--Martin, codz. IV–VI i IX 9.00–19.00, VII–VIII 9.30–19.30.

Musée National (Automates et Poupées d'Autrefois)

Niezwykłe muzeum lalek i automatów w willi z okresu belle époque w Monte Carlo; w kolekcji ponad 400 lalek z XVIII w. Avenue Princesse-Grace, www.monte-carlo.mc/musee-national, codz. Wielkanoc–IX 10.00–18.30, pozostałe miesiące 10.00–12.15 i 14.30–18.30.

Musée des Souvenirs Napoléonien

Muzeum w pałacu książęcym prezentuje około tysiąca dokumentów i przedmiotów związanych z wielkim Korsykaninem, oprócz tego kolekcję popiersi i eksponatów dotyczących historii Monako. Place du Palais, codz. oprócz pn. VI–IX 9.30–18.00, poza sezonem 10.30–12.30 i 14.00–16.30, poł. XI–poł. XII zamkn.

Café Viennois/Lobby Bar

W pogodnym, odprężającym otoczeniu delektować się można widokiem na morze i lekkim menu. *Monte Carlo Grand Hôtel*, avenue Spélugues 12, ☎00377/93506500, czynne codz., €€.

Sans Souci

Zawsze pełne gości wnętrze w stylu ludowym. Relaksowa atmosfera, dobra kuchnia włoska. Boulevard Italie 42, ☎00377/93 501424, nd. zamkn., €–€€.

Hôtel de France

Intymnie, cicho i komfortowo. 26 pokoi, rue de la Turbie 6, ☎00377/93302464, fax 92161334, €€.

Méridien Beach Plaza

Wielki, nowoczesny hotel, piękne pokoje, bogata oferta sportowa w Sea Clubie. 338 pokoi, avenue Princesse-Grace 22, ☎00377/933 09880, fax 93502314, www.lemeridien-montecarlo.com, €€€.

Monte-Carlo-Beach-Hôtel

Wszystko w najlepszym wydaniu: luksusowe pokoje z loggią i widokiem na morze, eleganckie łazienki, taras od strony morza, restauracja. 47 pokoi, avenue Princesse-Grace, ☎00377/93286666, fax 93781418, www.montecarloresort.com, €€€.

Office du Tourisme et des Congrès

Boulevard des Moulins 2a, ☎003 77/92166116, fax 92166000, www. monaco-congres.com.

Èze [173 F5]

⬥ Malowniczo położona wieś górska to główna atrakcja na trasie Moyenne Corniche. Widok z góry na Lazurowe Wybrzeże jest po prostu olśniewający, dlatego miejsce to nawiedzają tłumy turystów. Èze zwiedzał także Fryderyk Nietzsche, o czym przypomina jedna ze ścieżek. Kilka znakomitych restauracji i ekskluzywnych pensjonatów.

Grande Corniche [173 F5]

Droga łącząca Niceę z Menton wije się wzdłuż morza na wysokości przyprawiającej o zawrót głowy. Świetnymi punktami widokowymi powyżej Monte Carlo Beach są ⬥ Le Vistaero, ⬥ taras La Turbie, 512-metrowy ⬥ Col d'Èze oraz ⬥ Belvédère d'Èze nad górską wioską. Do czasu zbudowania autostrady Moyenne Corniche (N7) była główną osią komunikacyjną wybrzeża. Malownicze tunele i skalne galerie mijane po drodze także sprawiają niesamowite wrażenie.

MONTPELLIER

[172 C5] ★ Gospodarcze i administracyjne centrum Langwedocji (290 tys. mieszk.) wytyczyło nowe kierunki w urbanistyce swą supernowoczesną dzielnicą Antigone. Na Starym Mieście można dla odmiany podziwiać piękne pałace szlachty i kupiectwa z przełomu XVII i XVIII w. Z tego samego okresu pochodzi ⬥ Promenade du Peyrou, tarasowe założenie parkowe, z którego roztacza się wspaniały widok na morze i Sewenny. Latem odbywają się tu imprezy kulturalne i koncerty muzyki klasycznej. Odwiedzin wart jest również Jardin des Plantes, pierwszy ogród botaniczny we Francji, założony dla roślin egzotycznych w 1593 r.

Wspaniały widok z wysoko położonej wioski Éze

Musée Fabre, boulevard Bonne-Nouvelle, codz. oprócz pn. 9.00–17.30, prezentuje cenną kolekcję malarstwa.

NÎMES

[172 C5] ★ W żadnym mieście Francji nie ma tylu antycznych budowli co w żywym i pięknym Nîmes (150 tys. mieszk.). Oprócz świetnie zachowanego amfiteatru wymienić należy Maison Carrée, świątynię (20–12 r. p.n.e.) z wysokimi kolumnami koryncjkimi, w której urządzane są dziś wystawy. Inne antyczne budowle to rzymska brama miejska Porte d'Auguste, świątynia Diany w pięknym Jardin de la Fontaine i 30-metrowa rzymska Tour Ma-

Tylko w MARCO POLO

gne na ✲ Mont Cavalier. Efektowny kontrast tworzą nowoczesne centrum biblioteczne Carré d'Art projektu Normana Fostera oraz interesująca architektura kompleksu biurowo-mieszkalnego Le Colisee Kisho Kurokawy i Nemansus Jeana Nouvela. W Musée Archéologique, latem codz. oprócz pn. 10.00–18.00, boulevard Amiral-Corbet, prezentowane są liczne znaleziska antyczne. W śródmieściu zaprasza spokojny i sympatyczny *Kyriad Nîmes Centre La Plazza*, 28 pokoi, rue Roussy 10, ☎0466761620, fax 0466676599, €€.

ATRAKCJE W OKOLICY

Beaucaire [172 C5]
Piękne prowansalskie miasteczko (13,7 tys. mieszk.), 24 km na wschód od Nîmes, urzeka jasnoczerwonymi dachami, wąskimi ulicami i uroczymi starymi domami. Z Château Royal (XI w.) zachowały się dwie wieże, mury i śliczna kaplica romańska. Mieszczące się w zamku Musée Auguste-Jacquet w interesujący sposób przedstawia historię okolic; codz. oprócz wt. IV–IX 10.00–12.00 i 14.15–18.45, pozostałe miesiące do 17.45. Miłośników ornitologii zainteresują z pewnością pokazy ptaków drapieżnych (poł. III–pocz. XI).

NICEA

[173 F5] Nicea (Nice), wspaniale położony wielki ośrodek miejski (342 tys. mieszk.), jest jednocześnie drugim obok Cannes kąpieliskiem o światowej renomie na Lazurowym Wybrzeżu. Promenade des Anglais z palmami i hotelem

Amfiteatr w Nîmes z I w. n.e. mieścił 20 tys. widzów

Negresco nadal cieszy się sławą, choć dziś, mimo bliskości plaży króluje tu ruch samochodowy. Miłośnicy sztuki odwiedzają Musée National du Message Biblique Marc Chagall, avenue du Docteur--Menard, www.musee-chagall.fr, codz. oprócz wt. 10.00–18.00, z największym na świecie zbiorem prac artysty, oraz Musée Matisse, www.musee-matisse.org, latem codz. oprócz wt. 11.00–18.00. Ze względu na kolekcję dzieł francuskich impresjonistów interesujące jest również Musée des Beaux--Arts, avenue des Baumettes 33, codz. oprócz pn. 10.00–18.00.

Nicea szczyci się największą na świecie kolekcją obrazów Marca Chagalla

ATRAKCJE W OKOLICY

Cap Ferrat [173 F5]

Azyl miliarderów nie jest strefą zamkniętą. Bez problemu można udać się na spacer po półwyspie (15 km na wschód od Nicei), gdzie w bujnych ogrodach wznoszą się wspaniałe wille. Jedna z najpiękniejszych, Villa Île de France, jest nawet udostępniona do zwiedzania i mieści Musée Ephrussi de Rothschild – prawdziwy skarbiec sztuki. Zachwyca także park, w którym latem organizowane są koncerty. XII–X codz. oprócz pn. 14.30–18.00 lub 15.00–19.00, park wt.–sb. 9.00–12.00.

ORANGE

[173 D4] Miasto w dolinie Rodanu (27,5 tys. mieszk.) warto odwiedzić choćby tylko dla rzymskiego amfiteatru, jednego z najlepiej zachowanych w Europie. Budowla wzniesiona została prawdopodobnie za rządów Cezara (27–14 r. p.n.e.)

i mieściła 10 tys. widzów. Ściana proscenium, mierząca 103 m długości i 37 m szerokości, to jedyna zachowana konstrukcja tego typu. IV–X 9.00–18.30, poza sezonem 9.00–12.00 i 13.30–17.00. Piękna jest także potężna brama wjazdowa – Arc de Triomphe z czasów Augusta (ok. 25 r. p.n.e.) przy dzisiejszej N7 na północy Orange. Niedawno odnowione fryzy sławią zwycięstwo Cezara nad Galami w 49 r. p.n.e. Zacisznie i blisko centrum mieszka się w *Arène*, 30 pokoi, place Langes, ☎0490114040, fax 0490114045, €€.

ATRAKCJE W OKOLICY

Gorges de l'Ardèche [172 C4]

Rzeka Ardèche o długości 120 km, uchodząca do Rodanu na północ od Orange, przebija się głębokimi jarami przez skalistą okolicę i ze swoimi 29 progami wodnymi jest wprost wymarzonym miejscem dla kajakarzy. Jadąc Haute Corniche między Vallon-Pont-d'Arc a Pont-St-Esprit (47 km), mija się zapierające dech w piersiach punkty widokowe, jak np. ✲✲ Pont-d'Arc, naturalną bramę skalną o wysokości 39 m i szerokości 59 m, Serre de Tourre, Aiguilles de Morsanne, Rocher de la Cathédrale czy Balcon des Templiers. 35 km na północny wschód od Orange.

PERPIGNAN

[172 B6] Nowoczesne Perpignan, dawna stolica Królestwa Majorki (105 tys. mieszk.), to typowo katalońskie miasto. Dopiero w 1659 r. dostało się ono ostatecznie we władanie Francji. Historyczne centrum z wąskimi uliczkami znajduje się w cieniu potężnej cytadeli (codz. oprócz wt.), zbudowanej na planie gwiazdy. W pałacu królów Majorki, panujących w okresie 1278–1344 (VI–IX codz. 10.00–18.00, pozostałe miesiące 9.00–17.00) warto zobaczyć wielką Salle de Majorque; z ✲✲ wieży roztacza się piękna panorama miasta aż po Pireneje. Przy Place de la Loge wznosi się dawny budynek giełdy Loge de Mer z 1397 r. Z dań rybnych słynie restauracja *La Passerelle*, cours Palmarole 1, ☎0468 513065, pn. po południu i nd. zamkn., €€. Bardzo zacisznie jest w *Hotel de la Loge*, 22 pokoje, rue des Fabriques d'en Nabot 1, ☎046 8344102, fax 0468342513, www.hoteldelaloge.fr, €€.

ST-RAPHAËL/FRÉJUS

[173 E5] Razem z Fréjus (30 tys. mieszk.) St-Raphaël (24 tys. mieszk.) zasługuje na miano najważniejszej miejscowości wypo-

W Perpignan, stolicy Roussillon, panuje południowa atmosfera

FRANCJA POŁUDNIOWO-WSCHODNIA

Wieczorny relaks w portowej dzielnicy St-Tropez

czynkowej między St-Tropez a Cannes. Odpowiednio bogata jest też oferta hoteli, domków letniskowych i pól kempingowych. Warto zwiedzić Cité Épiscopale w średniowiecznym centrum Fréjus z katedrą (XII/XIII w.), baptysterium (V w.), krużgankami i pałacem biskupim (dziś siedzibą ratusza). Pozostałości rzymskiego portu Forum Julii rozrzucone są po całym mieście. Amfiteatr, rue Henri-Vadon, codz. 9.00–12.00 i 14.00–18.00, mieścił 10 tys. widzów.

SAINT-RÉMY-DE--PROVENCE

[173 E5] Spokojne miasteczko (9,8 tys. mieszk.), miejsce narodzin Nostradamusa (1503 r.), odwiedzane jest przede wszystkim ze względu na odkrytą tu grecko--rzymską osadę Glanum. Oprócz pozostałości świątyni, term i te-

atru zachowało się także imponujące mauzoleum dynastii julijskiej oraz łuk triumfalny, oba z I w. n.e. IV–IX 9.00–19.00, pozostałe miesiące 10.30–17.00.

SAINT-TROPEZ

[173 E5] Dawna osada rybacka (5,5 tys. mieszk.) jest dziś jedną z najpopularniejszych miejscowości na Lazurowym Wybrzeżu. Turystów ściąga tu nie tylko sława gwiazd, takich jak Brigitte Bardot, ale także uchodzące za najpiękniejsze i największe na całym wybrzeżu plaże (przede wszystkim „Club 55"). Do najlepszych francuskich muzeów sztuki nowoczesnej zaliczane jest Musée de l'Annonciade, Vieux Port, latem codz. oprócz wt. 10.00–12.00 i 15.00–20.00.

Na uroczą, całodzienną wycieczkę warto wybrać się w przybrzeżne góry Massif des Maures.

137

SAINTES-MARIES-
-DE-LA-MER

[172 C5] To jedno z najsłynniejszych miejsc w Prowansji (2,5 tys. mieszk.), ostoja religii i tradycji. Można się o tym przekonać w końcu maja, kiedy do miasteczka ściągają pielgrzymi, by oddać hołd trzem Mariom i ich czarnoskórej służącej Sarze. Ta ostatnia jest patronką Romów, którzy przybywają tu szczególnie licznie. Pielgrzymki odbywają się również w pierwszy weekend po 22 października. Ich źródło tkwi w legendzie, według której Maria Magdalena, Maria Salomea i Maria matka Jakuba przypłynęły tu w 45 r. n.e. i nawróciły mieszkańców Prowansji na chrześcijaństwo. W romańskim kościele o charakterze obronnym przechowywane są relikwie dwóch ostatnich Marii i ich służącej Sary. W starym ratuszu mieści się interesujące Muzeum Camargue (codz. 9.00–12.00 i 14.00–17.00 lub 18.00).

ATRAKCJE W OKOLICY

Camargue **[172–173 C–D5]**
Delta Rodanu, na południu od Arles, zamieszkana jest przez białe konie, czarne byki i stada różowych flamingów. Camargue obejmuje łącznie 1,4 tys. km² bagien, pastwisk, wydm i słonych jezior. Tereny wokół Étang de Vaccarès, największego jeziora Camargue, objęto ochroną i są niedostępne dla turystów. Zwierzęta obserwować można jedynie z drogi. Rejsy łodzią i wycieczki zorganizowane należy rezerwować w biurach podróży m.in. w Arles i Saintes-Maries-de-la-Mer. Musée Camarguais, Mas du Pont de Rousty, znajduje się przy drodze D570, 10 km na południe od Arles; VII–VIII codz. 9.15–18.30, pozostałe miesiące 10.15–16.45. Najlepiej kontemplować jednak krajobraz Camargue z siodła. W okolicy działa mnóstwo stadnin, w których można wynająć wierzchowca lub zarezerwować miejsce w zorganizowanej wyprawie jeździeckiej.

Camargue słynie z półdzikich stad białych koni

VAISON-LA-ROMAINE

[173 D4] Jednym z najciekawszych obiektów kulturowo-hi-
storycznych w Prowansji jest
dawna celtycka stolica (5,6 tys.
mieszk.), którą po zdobyciu Galii skolonizowali Rzymianie.
Liczne wykopaliska archeologiczne dają wyobrażenie o życiu
w ówczesnych czasach. Zobaczyć można nie tylko łaźnię, teatr i wille bogatych obywateli,
ale także ubogie domy czynszo-
we i ulicę handlową, latem codz.
9.30–18.00, poza sezonem 10.00–
12.00 i 14.00– 17.00. Katedra
Notre-Dame de Nazareth to jedna z najpiękniejszych świątyń
romańskich w departamencie.
Mury absydy pochodzą z VI
i VII w. W Musée Archéologique, latem codz. 9.30–18.00, poza sezonem 10.00–12.00 i 14.00–
17.00, zgromadzono cenne znaleziska z okolicy. Vaison jest
również dogodną bazą wypadową w rejon Mont Ventoux.

VENCE

[173 F5] Miasteczko (17 tys.
mieszk.), uroczo wtopione w pagórkowaty krajobraz na zachód od
Cannes, cieszy się szczególnie ła-
godnymi warunkami klimatycz-
nymi. W centrum otoczonego murami Starego Miasta wznosi się katedra St-Véran (X–XV w.), która
wraz z przyległymi dobudówkami
i kaplicami tworzy imponujący
kompleks. Poza granicami Vence
warto zobaczyć ciekawą Chapelle
du Rosaire (poświęcona w 1951 r.),
której zarówno ogólny projekt, jak

i kolorowe witraże są autorstwa
Henriego Matisse'a, pn., śr. i sb.
14.00–17.30, wt. i czw. 10.00–
11.30 oraz 14.30–17.30.

St-Paul-de-Vence (2,8 tys.
mieszk.), 4 km na południe, to
czarująca miejscowość założona
na wzgórzu, z murami obronnymi i średniowiecznymi zaułkami
oraz mnóstwem galerii i antykwariatów. Zupełnie wyjątkowo
prezentuje się Fondation Maeght,
www.fondation-maeght.com, na
północny wschód od miasteczka.
Budynek tej świątyni sztuki
współczesnej jest równie wspaniały co zgromadzona w nim
imponująca kolekcja, obejmująca
dzieła niemal wszystkich znaczą-
cych artystów. Codz. latem
10.00– 19.00, poza sezonem
10.00–12.30 i 14.30–18.00.

VERDON

[173 E5] To bez wątpienia jeden
z europejskich cudów natury: na
długości 20 km rzeka Verdon wy-
żłobiła w wapiennej skale koryto
o głębokości dochodzącej do
700 m, aby dotrzeć ostatecznie do
doliny rzeki Durance. Kanion da
się zwiedzić na kilka sposobów.
100-kilometrowa trasa z Mous-
tiers-Ste-Marie zahacza o jego
wszystkie najpiękniejsze miejsca
(należy na nią zarezerwować cały
dzień). Na piechotę wyruszyć najlepiej z Point Sublime i posuwać
się wzdłuż szlaku GR4 (ok. 6 godz.
bez przerwy). Popularne są także
wycieczki kajakiem bądź rowerem
wodnym. Informacja: Office de
Tourisme w Castellane (route Nationale) i Moustiers (Hôtel Dieu,
rue Bogarde).

Francja
à la carte

Opisane trasy zaznaczono kolorem zielonym
na mapie na rozkładanej okładce z tyłu przewodnika
oraz w atlasie samochodowym od s. 166

oraz w atlasie samochodowym od s. 166

1 KANAŁEM NIVERNAIS
PRZEZ BURGUNDIĘ

Najpiękniejszy kanał
Burgundii ma 170 km
długości i łączy Loarę
(na południu, w pobliżu Decize) z żeglowną
Yonne koło Auxerre.
Aby pokonać zachodnie
fragmenty pasma Morvan, budowniczowie kanału musieli bardzo skomplikować jego trasę.
Dzięki temu powstał najbardziej
kręty sztuczny szlak wodny we
Francji. Urlop na wynajętym stateczku na kanale Nivernais (Canal
du Nivernais) to chyba najciekawszy sposób poznania regionu.
Warto zabrać na pokład rowery –
będzie można wówczas zwiedzić
okoliczne miasteczka, wsie, kościoły i zamki, a także zrobić zakupy czy wyskoczyć na obiad do restauracji. Przy średniej prędkości
5 km/godz. i 110 śluzach do pokonania na podróż trzeba przeznaczyć tydzień.

*Wynajęcie dużej łodzi motorowej to
świetny pomysł na udany urlop; na
pokład warto zabrać rowery*

Rejs zaczyna się w Decize.
Trasa wiedzie na północ, mijając
wsie Champvert, Cercy-la-Tour
i Vandenesse. Początkowo płynie
się na długich, prostych odcinkach wśród łąk i pól; na południe
od Châtillon-en-Bazois, w dolinie rzeczki Arnon, kanał staje się
jednak bardzo kręty. Stare miasteczko Châtillon-en-Bazois jest
ośrodkiem żeglugi turystycznej,
ma własną stocznię, *château*
z XVI/XVII w. oraz kościół
z XIV w.

10 km dalej na północ zaczynają się prawdziwe emocje: najpierw trzeba pokonać 758-metrowy tunel Souterrain de la
Collanchelle, dzięki któremu kanał Nivernais mija pasmo wzniesień oddzielające zlewiska Loary
i Yonne. Następna przeszkoda to
wspaniałe stopnie wodne Échelle
de Sardy (Drabina Sardy) z 16
śluzami. Na wysokości Château
de la Chaise, nieopodal Corbigny, kanał Nivernais spotyka się
z Yonne, obok której podąża dalej na północ. Chitry-les-Mines
i Marigny-sur-Yonne to dwie
miejscowości w pobliżu Corbigny z przystaniami turystycznymi. Mijając winną wioskę Tan-

nay, dociera się do Clamecy, pierwszego większego ośrodka miejskiego na trasie. Kiedyś wiązało się tu spławiane Yonne i Cure bale drewna w wielkie tratwy, puszczane dalej do Paryża podczas wiosennych powodzi. 23 km na wschód od Clamecy leży Vézelay (s. 91), słynna miejscowość pielgrzymkowa z romańskimi arcydziełami i znakomitymi restauracjami (m.in. słynna kuchnia Marca Meneau). Z Clamecy kanał posuwa się naprzód gwałtownymi skrętami, mijając Coulange-sur-Yonne i Châtel-Censoir z interesującym kościołem St-Potentieu (XI w.). Następny etap podróży wyznaczają malownicze, pionowe, 50--metrowe skały wapienne Saussois, których popękane ściany idealnie nadają się do wspinaczki. Skały, oznaczone jako rezerwat przyrody (*réserve naturelle*), są stałym elementem krajobrazu aż do Mailly-le-Château. Z Mailly-la-Ville warto wyskoczyć do Arcy-sur-Cure z interesującym Château du Chastenay (XIII w.) oraz La Grande Grotte, piękną jaskinią naciekową z rysunkami prehistorycznymi. W restauracji *Grottes* przy trasie N6, ☎0386 819147, €, można coś przekąsić przed powrotem na statek. Miejscowość Irancy, na ostatnim odcinku, jest znanym ośrodkiem uprawy winorośli. W tym miejscu kanał Nivernais łączy się z żeglowną już Yonne, ostatnie kilometry do stacji końcowej w Auxerre pokonuje się więc rzeką.

Adresy niektórych wypożyczalni łodzi zamieszczono na s. 148.

2 LEKCJA PREHISTORII – NA POŁUDNIE PRZEZ PÉRIGORD

 Trasa prowadzi przez departament Dordogne z historyczną krainą Périgord. Można potraktować ją po prostu jako jeden z etapów podróży na wybrzeże atlantyckie między Bordeaux a Biarritz lub też dać się uwieść jej urodzie i zatrzymać na dłużej. To jeden z najciekawszych regionów Francji: uroczy krajobrazowo, fascynujący kulinarnie, a pod względem historycznym prawdziwy skarbiec z licznymi atrakcjami, jak np. jaskinia Lascaux, centrum prehistoryczne w Les-Eyzies-de-Tayac oraz dziesiątki pałaców, zamków i klasztorów. Trasa zaczyna się w Périgord Noir, na północ od stołecznego Périgueux, i wiedzie na południe przez dolinę Dordogne, sąsiedni departament Lot-et--Garonne aż do Moissac. Na całą, 270-kilometrową podróż należy przeznaczyć 3–4 dni.

Jeżeli jedzie się do południowo--zachodniej Francji przez Paryż i Limoges albo Lyon i Clermont-Ferrand, to Périgord mija się po drodze. Brantôme (s. 101), 27 km na północ od Périgueux (s. 110), oferuje nocleg w pięknym, czarująco zlokalizowanym hotelu *Moulin de l'Abbaye*, 16 pokoi, ☎0553058022, fax 055305 7527. Jednogwiazdkowa restauracja, śr. zamkn., €€€, poleca specjały kuchni regionalnej, m.in. *magret de canard* (filet z kaczki) i *foie gras* (pasztet ze stłuszczonych gęsich wątróbek) oraz pieczone na rożnie gołębie z borowikami.

W Brantôme nie wolno zapomnieć o krótkim wypadzie drogą

D78 do Bourdeilles: stare domy tłoczą się między rzeką Dronne, murami miejskimi i skalną ścianą; nad nimi góruje potężny zamek z pięknie wyposażonymi wnętrzami (codz. latem 9.00–12.00 i 14.00–19.00). Z Bourdeilles dociera się do Périgueux szosami D106 i D939. Z Périgueux boczna droga D5 wiedzie wzdłuż krętej Auvézère na wschód aż do Hautefort z otoczonym przez piękne ogrody zamkiem. Gmach z lat 1640–1680 ma iście królewskie rozmiary (latem codz. 9.00–12.00 i 14.00–19.00, poza sezonem 14.00–18.00).

Z Hautefort szosa D704 prowadzi na południe do N89; pierwszy postój warto zrobić w Montignac, w dolinie Vézère. Piękne miasteczko zyskało sławę dzięki znajdującym się kilka kilometrów dalej jaskiniom Lascaux (s. 108). Wizyta w muzeum Lascaux II to wstęp do fascynującej podróży w czasy prehistoryczne. W Vallée de l'Homme koniecznie należy odwiedzić Centre d'Art Préhistorique w Le Thot, wieś Le Moustier, Tursac, fantastyczne miasto La Roque St-Christoph oraz miejscowość Les Eyzies-de-Tayac (s. 107), w pobliżu której odnaleziono szczątki człowieka z Cro-Magnon. Około 400 tys. lat p.n.e. w dolinie Vézère pojawił się pierwszy człowiek; na 120–35 tys. lat p.n.e. datuje się młodszą epokę kamienną (neolit); nasz bezpośredni przodek, człowiek z Cro-Magnon, żył tu pomiędzy 350–10 tys. lat p.n.e.

W Les-Eyzies-de-Tayac zaprasza dwugwiazdkowy hotel i restauracja *Centenaire*, ☎0553066868, fax 0553069241, €€€, miejsce dla prawdziwych smakoszy. Przez Le Bugue dociera się do Limeuil, ma-

Jaskinia w Lascaux zasłynęła odkrytymi w 1940 r. malowidłami naskalnymi

lowniczego miasteczka u ujścia Vézère do Dordogne. W Trémolat, zaledwie kilka kilometrów w dół rzeki, noclegi oferuje pierwszorzędny hotel *Vieux Logis*, ☎0553228006, fax 0553228489, €€€. Nad miejscowością znajduje się świetny ⬇ punkt widokowy z panoramą Cingle de Trémolat, malowniczego zakola Dordogne.

Powróciwszy do Limeuil, należy przejechać na drugi brzeg rzeki i skierować się do Le Buisson. Tu można zjechać z trasy drogą na

Tylko w MARCO POLO

Siorac, prowadzącą do takich popularnych miejsc nad Dordogne, jak Beynac (s. 106), Roque-Gageac (s. 106) czy Domme (s. 105).

Główna trasa wiedzie jednak wzdłuż pięknej D25 w kierunku Beaumont. Po drodze mija się Cadouin z opactwem Cystersów; miejsce to było popularnym celem pielgrzymek z powodu przechowywanej tu chusty Chrystusa, dopóki nie okazała się ona falsyfikatem. Ze starej obronnej osady Beaumont z warownym kościołem i pozostałościami murów miejskich, założonej przez Anglików w 1272 r., dociera się do Monpazier (s. 109). To jedna z najpiękniejszych i najlepiej zachowanych miejscowości obronnych we Francji.

6 km na południe od Monpazier, na sztucznym ✹ wzgórzu, wznosi się imponujący zamek Biron. Ze wzniesienia roztacza się widok na 30 km. Jako siedziba największych baronów Périgord na przestrzeni 14 pokoleń budowla łączy wszystkie style architektoniczne od XII do XVIII w. Latem urządzane są interesujące wystawy artystyczne (codz. 9.30–12.00 i 14.00–19.00).

Na odcinku między Fumel a Moissac trasa prowadzi przez departament Lot-et-Garonne, dawną krainę Quercy. Z obronnymi, pięknie położonymi osadami Tournon-d'Agenais i Lauzerte, ze wzgórzami, polami i porośniętymi winoroślą stokami okolica ta bardzo przypomina Toskanię.

Na koniec warto zwiedzić wspaniałe romańskie opactwo w Moissac (s. 108), miasteczku na starym szlaku pielgrzymkowym do Santiago de Compostela.

3 W PIRENEJSKIM PARKU NARODOWYM

Trasa prowadzi z Tuluzy do Pirenejskiego Parku Narodowego (Parc National des Pyrénées, 457 km²) i jego najpiękniejszych dolin: Cauterets, Ossau i Aspe. To wspaniały teren do pieszych wędrówek, ze znakomitą siecią szlaków i schronisk górskich. Żyje tu jeszcze ok. dziesięciu niedźwiedzi brunatnych (które jednak niełatwo spotkać), 4,5 tys. kozic, duża kolonia sępów oraz orły przednie, głuszce i świstaki. Na przebycie ok. 420 km należy przeznaczyć mniej więcej tydzień.

Z Tuluzy (s. 113) należy udać się drogą N117 do St-Gaudens, skąd D8 zbacza do N125 i interesującej wsi St-Bertrand-de-Comminges (s. 110). Na południu znajduje się Bagnères-de-Luchon, miejscowość ze źródłami termalnymi, cenionymi już za czasów rzymskich. Wokół wznoszą się potężne szczyty Pirenejów. Poza miejscowością na Route de Superbagnères zaprasza *Auberge de Castel-Vielh*, Castel Biel, ☎0561793679, €€, w której serwuje się znakomitą kuchnię regionalną. D618 prowadzi dalej na zachód, wspinając się na Col de Peyresourde (1569 m n.p.m.). Przez piękną Vallée du Louron i malowniczą wieś Arreau dociera się do kolejnej przełęczy – Col d'Aspin (1489 m n.p.m.). W pobliżu Ste-Marie-de--Campan należy skręcić w drogę D918. Na prawo wznosi się potężny Pic du Midi de Bigorre; z Col du Tourmalet (2115 m n.p.m.) na szczyt (2872 m n.p.m.) prowadzi płatna droga. Po powrocie na D918

Widok na Lac de Gaube w Pirenejach

trasa wiedzie dalej na zachód. Przez Barèges dociera do Luz St--Sauveur, uroczej miejscowości letniskowej ze źródłami termalnymi i obronnym kościołem romańskim. Najważniejsze jednak, by nie przegapić jednej z największych atrakcji Pirenejów: Cirque de Gavarnie, 20 km na południe, to niesamowity, stworzony przez naturę amfiteatr o szerokości 10 km, z 442-metrowym wodospadem. Ze wsi Gavarnie można dostać się do Cirque na piechotę, konno lub na ośle. Następną atrakcją jest dolina Cauterets, u wylotu której wzbija się w niebo szczyt Vignemale (3298 m

n.p.m.). Z Pont d'Espagne kolejka linowa zabiera turystów do pięknego jeziora górskiego Lac de Gaube (1725 m n.p.m.). Wspaniały górski odcinek drogi D918 wiedzie poprzez Col de Soulor i Col d'Aubisque z Argelès-Gazost do Vallée d'Ossau. Tak jak sąsiednia Vallée d'Aspe, jest ona idealnym terenem na piesze wycieczki. W Maisons du Parc otrzymać można wszystkie informacje na temat parku narodowego. Z Vallée d'Ossau trasa prowadzi w kierunku miejsca narodzin Henryka IV, Pau (s. 109), które jest jednocześnie ostatnim punktem wycieczki.

Pieszo, w siodle, pod żaglami...

We Francji każdy znajdzie coś odpowiedniego dla siebie: możliwość aktywnego wypoczynku bądź relaks, przygodę lub kontemplację

Wybrzeże atlantyckie, wybrzeże śródziemnomorskie, Pireneje, Alpy – każdy region stwarza warunki do uprawiania innych dyscyplin sportowych. Francuzi zajmują się sportem tak jak sztuką kulinarną: z miłością i pasją, nie zapominając przy tym o świetnej organizacji.

GOLF

Niemal 600 pól golfowych rozrzuconych po całym kraju powinno zadowolić miłośników tej formy spędzania wolnego czasu. Można zamieszkać w luksusowym hotelu golfowym lub gościnnie pojawić się na polu na jedną partyjkę. Na prowincji ceny sięgają często połowy stawek żądanych w Hiszpanii czy Portugalii. Broszurę z adresami 138 najlepszych pól golfowych wysyła Fédération Française de Golf, rue Anatole France, 92300 Levallois-Perret.

JEŹDZIECTWO

Centres équestres, ośrodki jeździeckie, działają w każdym zakątku kraju. Rezerwować można cało-

We Francji warunki dla turystyki pieszej są wprost wymarzone

dzienne lub tygodniowe wycieczki w siodle (*randonnées*) z noclegami w wiejskich hotelach i schroniskach. Wspaniałe tereny na urlop jeździecki to Wogezy, Bretania, Owernia, Sewenny, Périgord, Camargue i Gaskonia. Sczegóły w biurach informacji turystycznej i w Féderation française d'Equitation, boulevard Macdonald 9, 75019 Paris, ☎0153261550, www.ffe.com.

KAJAKARSTWO

We Francji nie brakuje rzek i strumieni. Można po prostu wypożyczyć łódkę i delektować się wspaniałym, nadrzecznym krajobrazem: otoczoną zamkami Dordogne, dzikim Gorges du Verdon, malowniczą Lot i wieloma innymi. Organizator całodziennych wycieczek zawozi uczestników i sprzęt w górę rzeki; o tym, jak długo będzie trwał spływ, każdy decyduje sam. Szczegóły w regionalnych biurach informacji turystycznej.

NARCIARSTWO

Francuska oferta narciarska nie ma sobie równej na całym świecie. Miłośnicy sportów zimowych mają do wyboru Wogezy, Jurę, Masyw Centralny, Alpy i Pireneje. Alpy francuskie już trzykrotnie gościły igrzyska olimpijskie – w Chamonix, Grenoble i Albertville. Ze świetnych warunków korzystają także amatorzy, niezależnie od tego, czy wolą familijne Chamonix, czy też Alpe d'Huez z wyścigami na lodowcu i narciarstwem ekstremalnym. Informacje: www.ski-france.fr.

ROWER

Wszystkie regiony Francji świetnie nadają się na rowerowy urlop zarówno dla tych, którzy preferują krótkie, jednodniowe wycieczki, jak i cyklistów długodystansowców, gotowych spędzić całe wczasy „na siodełku". Sieć drogowa jest na tyle gęsta, że z łatwością da się ominąć duże miasta i zatłoczone trasy. Kolarstwo górskie (VTT – *vélo tout-terrain*) dopuszczalne jest na wielu krótko- (GRP – *grandes randonées de pays*) i długodystansowych szlakach pieszych (GR – *sentiers de grandes randonnées*). Niektóre połączenia kolejowe, oznaczone symbolem roweru, umożliwiają bezpłatny transport pojazdu. Fédération Française de Cyclisme, rue Louis Bertrand 5, 93110 Rosny-sous--Bois, ☎0149356924, www.ffc.fr, wysyła broszurę z opisem 36 tys. km górskich tras rowerowych.

Tylko w MARCO POLO

TURYSTYKA PIESZA

Różnorodne krajobrazy Francji to wymarzona sceneria dla pieszych wędrówek. Ponad 130 tys. km oznaczonych szlaków przecina wszystkie części kraju; są wśród nich: GR (*grandes randonnées*), za-

znaczone na czerwono-biało, czerwono-żółte GRP (*grandes randonnées de pays*) i żółte PR (*promenade randonée*). Niezbędne będą mapy Institut Géographique National (IGN) sprzedawane w kioskach – Maisons de la Presse i biurach informacji turystycznej. Informacje: Fédération Française de la Randonée Pedestre, rue Riquet 14, 75019 Paris, ☎0144899390.

URLOP NA STATKU

Rosnąca liczba wypożyczalni niewielkich statków dowodzi, że ta forma wypoczynku staje się coraz bardziej popularna. Warunki ku temu są wprost idealne: rzeki i kanały, np. Canal du Nivernais w Burgundii czy Canal du Midi na południu, przepływają przez najpiękniejsze zakątki kraju. W szczycie sezonu na obu trasach panuje dość intensywny ruch, warto więc zorientować się, co oferują wypożyczalnie w Alzacji, Szampanii, Bretanii czy Charente. Do dyspozycji są zazwyczaj jednostki mieszczące od dwóch do dwunastu osób i o tak niewielkiej mocy silnika, że do sterowania nimi nie wymaga się żadnych specjalnych uprawnień. Przydatne adresy to: Rive de France, rue d'Aguesseau 55, 92774 Boulogne-Billancourt, ☎014 1860102, www.rivedefrance.com; Crown Blue Line, Port de Plaisance, 21170 St-Jean de Losne, ☎038 0291381, www.vacancesfluviales.com.

WĘDKOWANIE

We Francji to właściwie sport narodowy: zamyślony wędkarz na brzegu rzeczki, kanału czy jeziora

Na wybrzeżu śródziemnomorskim popularnością cieszy się windsurfing

jest stałym elementem krajobrazu. Miejsc do wędkowania nie brakuje. Konieczne jest jednak posiadanie karty wędkarskiej. Zasady zmieniają się w zależności od miejsca i trzeba ich ściśle przestrzegać (należą do nich m.in. dokładnie kontrolowane czasy połowu oraz dopuszczalna liczba i wymiary łowionych ryb). Zabronione jest wędkowanie w parkach narodowych i rezerwatach przyrody (*réserves*). O szczegóły najlepiej dowiadywać się w lokalnych biurach informacji turystycznej, sklepach z artykułami wędkarskimi lub Conseil Supérieur de la Pêche, avenue Malakoff 134, 75016 Paris, ☎0145022020.

ŻEGLARSTWO I SURFING

Francuskie wybrzeże ma 4 tys. km długości, nic więc dziwnego, że nie brak miejsc do żeglowania. W każdej większej miejscowości nad Atlantykiem i Morzem Śródziemnym jest marina, szkoła żeglarska oraz wypożyczalnia sprzętu żeglarskiego i surfingowego. Na bezkresnych, szerokich plażach La Baule czy Les Sables d'Olonne przy niskim stanie wody da się uprawiać żeglarstwo plażowe (*char à voile*) oraz *speedsailing* (deski żeglarskie na czterech kółkach). Idealnym miejscem na surfing jest Côte d'Argent; na mistrzostwa świata profesjonalistów przyjeżdżają tam nawet surferzy z Ameryki i Australii.

W niemal każdej osadzie przybrzeżnej działa klub surfingowy. Do windsurfingu (*planche à voile*) najlepiej nadają się zbiorniki śródlądowe, np. Lac de Biscarosse, Lac de Léon, Lac de Cazaux i in., wokół których rozmieszczone są często piękne pola kempingowe wśród sosnowych lasów. Informacji udziela Fédération Française de Voile, www.ffv.fr.

Tylko w MARCO POLO

Niezliczone atrakcje i miłe niespodzianki

Rozrywki nie tylko dla najmłodszych

Francja ma wiele do zaoferowania także dzieciom. Na strzeżonych plażach aktywny wypoczynek gwarantują place zabaw. Odkrywanie przyrody może być zresztą dla najmłodszych równie fascynujące co ciekawe muzea, akwaria morskie czy parki techniki i rozrywki. Poniżej krótka lista miejsc godnych polecenia.

Parc Astérix [168 B3]

Wieś Asteriksa i Obeliksa wygląda dokładnie tak, jak w słynnym komiksie. Park oferuje różnorodne atrakcje, między innymi spływ na tratwach przez wodospady, labirynt, delfinarium, a oprócz tego obrazowo odgrywane sceny z codziennego życia wsi, świątecznych biesiad i wielu innych czynności, jakim starożytni Galowie poświęcali swój czas. Dobra zabawa gwarantowana! Plailly, 30 km na północny wschód od Paryża, www.parcasterix.fr, IV–poł. X pn.–pt. 10.00–19.00, sb. i nd. 9.30–20.00, VII–VIII codz. 9.30–20.00, dorośli 30 euro, dzieci 22 euro.

Eurodisneyland – wspaniała zabawa gwarantowana

Eurodisneyland [168 B4]

W krainie Myszki Miki spełniają się marzenia wszystkich dzieci: w Main Street USA, Frontierland, Adventureland, Fantasyland i Discoveryland pełno jest traperów, Indian, kowboi, piratów, rycerzy i astronautów. Puzzle, rysowanie i kwizy umożliwiają aktywne uczestnictwo w zabawie. Marne-la-Vallée, 32 km na wschód od Paryża, www.disneylandparis.fr, VII–VIII codz. 9.00–23.00, pozostałe miesiące pn.–pt. 10.00–20.00, sb. i nd. 9.00–20.00, w sezonie dorośli 40 euro, dzieci 32 euro.

Bergérie Nationale de Rambouillet [168 A4]

Tylko w MARCO POLO

W zamkowym parku mieści się owczarnia, w której dzieci mają okazję zobaczyć, jak rodzi się owieczka, wykluwają kurczęta, jak strzyże się owce i karmi krowy. A wszystko to w pięknym, sielskim otoczeniu. Miłym akcentem na zakończenie wizyty będzie piknik pod starymi drzewami nad zamkowym jeziorem. Rambouillet, 45 km na południowy zachód od Paryża, www.bergerie-nationale.educagri.fr, śr.–nd. 14.00–17.00, dorośli 2,50 euro, dzieci 1,50 euro.

Warto wiedzieć!

Nowe trendy, normy i obyczaje

Pod paryskimi palmami

Zamiast urlopu na zatłoczonym Lazurowym Wybrzeżu wielu paryżan wybiera wakacje w domu. Nic dziwnego, bowiem palmy, piasek, siatkówkę plażową, wieczorne imprezy i wiele innych atrakcji mają niemal za rogiem. To niezwykłe miejsce, nazywane Paris Plage, ciągnie się na odcinku ponad 3 km na prawym brzegu Sekwany, między Tuileries i quai Henri IV (poł. VII–VIII).

Mocne wrażenia

Nic nie przebije skoków na bungee? A jednak! Najnowszy przebój to *scable*, praktykowane w Normandii na południowy zachód od Caen. Śmiałkowie śmigają z prędkością 100 km/godz. na stalowej linie, rozpiętej na wysokości 400 m nad rzeczką Souleuvre, obok zbudowanego przez Eiffela mostu kolejowego (www.ajhackett.fr).

Prawdziwa okazja

Modne ciuchy największych projektantów kosztują zazwyczaj majątek. Jednak nawet ze zdecydowanie ograniczonym budżetem można sobie pozwolić na niezłe ubranie z metką Christian Lacroix, Chanel lub Dior i dodatki od Hérmesa, Vuittona, Gucciego czy Prady. Gdzie? W *dépot-vente*, czyli punktach z używaną odzieżą, oraz w specjalistycznych sklepach i na targowiskach. Zainteresowani znajdą je bez trudu we wszystkich wielkich miastach.

Jaskiniowe szaleństwo

Kto raz miał okazję penetrować fantastyczny świat finezyjnie ukształtowanych stalaktytów i stalagmitów, podziemnych rzek i jezior oraz podziwiać prehistoryczne freski i ryty naskalne, być może odkryje swoją nową życiową pasję. Żadne miejsce nie nadaje się do tego typu eskapad lepiej niż Périgord. Nie chodzi jednak tylko o turystyczne wycieczki do słynnych grot, lecz o prawdziwe wyprawy do wnętrza Ziemi w profesjonalnej asyście speleologów. Dokładniejsze informacje o takim sposobie spędzania wolnego czasu zamieszczono w Internecie, m.in. pod adresem: www.perso.wanadoo.fr/couleurs.perigord.

Informator

Najważniejsze adresy oraz informacje przydatne
podczas podróży po Francji

BANKI I KARTY KREDYTOWE

W większych miastach banki
otwarte są zazwyczaj od ponie-
działku do piątku w godzinach
9.00–16.30 lub 17.00. W mniej-
szych miejscowościach między
12.30 a 14.00 obowiązuje przerwa
obiadowa. W poniedziałki na prowincji banki są najczęściej zamknięte, działają za to w soboty do
12.00. Powszechnie używa się kart
kredytowych, akceptowane są także czeki podróżne. Najbardziej
praktyczne jest korzystanie z ban-
komatów – w oddziałach banków,
na lotniskach i dworcach kolejo-
wych (karty EC oraz kredytowe).

CENY

Za zwiedzanie zamków, muzeów
prywatnych i ogrodów zoologicznych dorośli płacą zazwyczaj 4–
7 euro, a dzieci połowę tej sumy.
Muzea państwowe i miejskie po-
bierają opłatę 2–4 euro. Planując
zwiedzanie klasztorów, kościołów
i obiektów archeologicznych, należy się liczyć z wydatkiem 4–5 euro.

CŁO

W UE turystów nie obowiązują
już w zasadzie żadne granice cel-
ne. Na „użytek osobisty” podróżujący może przewieźć m.in. 800 pa-

pierosów, kilogram tytoniu, 10 litrów spirytusu i 90 litrów wina –
w tym 60 litrów szampana.

INFORMACJA

**Maison de la France – Francuski
Ośrodek Informacji Turystycznej**
Ul. Mokotowska 19, 00-560 Warszawa, ☎0226967597, fax 02269
67590, info.pl@franceguide.com.
  Szczegółowych informacji udzielają liczne regionalne biura informacji turystycznej. Adresy można zdobyć za pośrednictwem Maison de la
France lub wpisując w wyszukiwar-
ce internetowej hasło Comité Régio-
nal de Tourisme. W wypadku pytań
wysyłanych listownie należy pamiętać o zwrotnej opłacie pocztowej.

INTERNET

Dostęp do Internetu można uzyskać,
korzystając z Netanoos (w hotelach,
biurach turystycznych, merostwach
i in.) – potrzebne będzie karta kredy-
towa bądź telefoniczna. Stron inter-
netowych zamieszczających informacje na niemal każdy temat związany z Francją są dziesiątki. Bardzo
przydatna jest m.in. oficjalna witry-
na ambasady francuskiej w Polsce
z wieloma praktycznymi wiadomo-
ściami o kraju (www.ambafrance-
-pl.org), a także strona Editions Mi-
chelin (www. viamichelin.fr).

Od maja do października w całym regionie śródziemnomorskim panują letnie temperatury i słoneczna pogoda. Zimy są zazwyczaj łagodne, choć bywają także śnieżne i mroźne. Do Prowansji najlepiej wybrać się wiosną, bardzo wczesnym latem, jesienią lub wczesną zimą; inne regiony warto odwiedzać w czerwcu bądź we wrześniu.

PRZYJAZD

Samochodem

Podróż samochodem to najtańszy sposób na dotarcie do Francji (dla minimum trzech osób, które dzielą się kosztami paliwa). Trasę od polskiej granicy (Zgorzelec) do Awinionu (Prowansja) można pokonać w 20 godz. (1620 km).

Okolic Paryża powinno się unikać w godzinach szczytu, na początku weekendu oraz w święta. Najbardziej uczęszczaną trasą wiodącą na południe jest Autoroute de Soleil przez Besançon i Lyon. Najatrakcyjniejsza krajobrazowo jest jednak Route Napoléon (N85) przez Grenoble do Cannes lub Aix-en--Provence.

Autobusem

Przejazdy z Polski do Francji oferują wszystkie większe firmy przewozowe, a bilety można kupić w niemal każdym biurze turystycznym zajmującym się rezerwacją.

Przejazd w jedną stronę kosztuje ok. 300 zł, a w obie – 450 zł, w zależności od sezonu, trasy, standardu oraz renomy przewoźnika. Podróż z Warszawy do Paryża trwa ok. 24 godzin.

Pociągiem

Z Polski do Francji nie kursują bezpośrednie pociągi. Najwygodniejsza jest podróż do Paryża z przesiadką w Kolonii lub we Frankfurcie nad Menem (pociąg „Jan Kiepura" Warszawa–Kolonia–Frankfurt nad Menem). Dogodne połączenia są także przez Berlin. Podróż trwa 18–22 godz., bilet w jedną stronę kosztuje ok. 600 zł (z miejscówką). PKP InterCity okresowo wprowadza ceny specjalne na połączenia międzynarodowe. Warto sprawdzić aktualne promocje na stronie www.pkp.pl. Wszelkich informacji o dogodnych połączeniach, cenach biletów, ofertach specjalnych i biletach wieloprzejazdowych udzielają ka-

Warto przeczytać

Literackie spojrzenie na Francję

Jean Echenoz, *Przy fortepianie*: tocząca się w realiach paryskich historia miłosnych niespełnień pięćdziesięcioletniego pianisty wirtuoza.

Anna Gavalda, *Chciałbym, żeby ktoś gdzieś na mnie czekał*: kryminał osadzony w szalonym świecie popkultury.

Michel Houellebecq, autor *Poszerzenia pola walki* i *Cząstek elementarnych*, daje w powieści *Platforma* kolejną próbkę swego kontrowersyjnego daru prowokacji.

sy międzynarodowe PKP (infomracja kolejowa ☎9436 z całej Polski), biuro Wasteels (☎022620 2149, 0618652626) oraz wybrane oddziały Orbisu.

Z Paryża do Francji północnej i środkowej pociągi odjeżdżają z dworców Gare du Nord lub Gare de l'Est. Na południe i zachód kraju wyruszają z Gare Montparnasse, Gare d'Austerlitz lub Gare de Lyon. Osiągającym prędkość do 300 km/godz. TGV można dojechać do Lyonu, Marsylii, Nantes, Rennes i Bordeaux. Konieczna rezerwacja miejsc.

Samolotem

Bezpośrednie połączenia między Polską a Francją zapewnia LOT (☎0801703703, abonenci sieci komórkowej: ☎0229572, www.lot.com.pl), Air France (☎0225566400, fax 02255566415, www.airfrance.com) oraz tanie linie Wizz Air (☎0223519499, www.wizzair.pl) i Sky Europe (☎0226500750, fax 0226500759, www.skyeurope.com). Samoloty LOT-u i Air France latają z Warszawy do Paryża, Lyonu i Nicei oraz z Krakowa do Paryża, a Wizz Air i Sky Europe – z Katowic, Krakowa i Warszawy do Paryża. Przykładowe ceny biletów lotniczych do Paryża (grudzień 2005 r.):

LOT – ok. 800 zł (tam i z powrotem, z opłatami lotniskowymi i podatkami).

Wizz Air – ok. 300 zł (tam i z powrotem, bez opłat lotniskowych i podatków).

Wielkim węzłem międzynarodowej komunikacji lotniczej jest lotnisko Charles de Gaulle, 23 km na północ od Paryża. Aby kontynuować podróż na linii krajowej, należy przedostać się na Aéroport Orly-Ouest (autobusem).

Ile co kosztuje

Kawa
1,50 euro
za filiżankę *petit noire*

Piwo
2,50 euro
za piwo beczkowe

Wino
od 16 euro
za butelkę
(w restauracji)

Benzyna
ok. 1,20 euro
za litr

Autobus
ok. 5 euro
za 100 km

Bagietka
0,90 euro
w piekarni

SAMOCHÓD

Francuskie autostrady są płatne. Dopuszczalne prędkości: autostrady 130 km/godz., przy opadach 110 km/godz.; drogi szybkiego ruchu 110 km/godz., przy opadach 100 km/godz.; drogi krajowe i lokalne 90 km/godz., przy opadach 80 km/godz.; w terenie zabudowanym 50 km/godz. Maksymalna dopuszczalna zawartość alkoholu we krwi: 0,5 ‰. Już za niewielkie przekroczenie prędkości płaci się wysokie mandaty. Naruszenie limitu o ponad 50 km/godz. kończy się pobytem w areszcie. W razie wypadku policja interweniuje, gdy jego uczestnicy odnieśli obrażenia cielesne.

Pomoc drogową (*dépanneur-remorqueur*) świadczą całodobowo agencji koncernów samochodowych i firm ubezpieczeniowych; wezwać ich można za pośrednictwem policji (☎17) lub z aparatów rozmieszczonych przy autostradzie. ADAC (☎0049/89222222) służy poradą także osobom niestowarzyszonym.

TELEFON

Karty telefoniczne (*télécartes*) kupuje się w kioskach, urzędach pocztowych, hotelach i na stacjach benzynowych. Niektóre aparaty przyjmują karty Master/Euro-Card lub Visa.

Dzwoniąc z Francji za granicę, należy wybrać 00, następnie numer kierunkowy danego kraju (Polska 48), a później numer kierunkowy miejscowości (bez 0). Dzwoniąc do Francji z zagranicy, należy wybrać 0033, a potem 9-cyfrowy numer miejscowy. We Francji działa trzech operatorów sieci komórkowych: France Telecom, SFR oraz Buygues Telecom. Warto dowiedzieć się od swojego operatora, czy ma umowę roamingową np. z Buygues Telecom (www.buygtel.com). Przy standardowej taryfie (8.00–21.30) rozmowa powinna kosztować ok. 0,70 euro za minutę, a w pozostałych porach dnia oraz w święta połowę tej stawki.

TELEFONY ALARMOWE

Europejski numer alarmowy/European Emergency Call
Policja, pogotowie ratunkowe, straż pożarna: ☎112.

ZDROWIE

W razie wypadku lub zachorowania obywatele UE są uprawnieni do bezpłatnej podstawowej opieki lekarskiej, o ile posiadają plastikową Europejską Kartę Ubezpieczenia Zdrowotnego EKUZ.

Pogoda w Nicei

I	II	III	IV	V	VI	VII	VIII	IX	X	XI	XII
13	13	15	17	20	24	27	27	25	21	17	13
Średnia temperatura w ciągu dnia w °C											
4	5	7	9	13	16	18	18	16	12	8	5
Średnia temperatura w nocy w °C											
5	6	6	8	9	10	12	11	9	7	5	5
Średnie dzienne nasłonecznienie (godz./dzień)											
7	6	6	7	6	3	2	3	6	8	8	7
Liczba dni deszczowych w miesiącu											
13	12	13	14	16	20	22	23	21	19	16	14
Temperatura wody w °C											

Tu parles français?

„Czy mówisz po francusku?"
Słowniczek zawiera najważniejsze słowa
i podstawowe zwroty przydatne podczas urlopu

Dla ułatwienia nauki poprawnej wymowy w nawiasach podano
uproszczony fonetyczny zapis wymowy słów francuskich.

PODSTAWOWE ZWROTY

Tak/Nie	Oui [łi]/Non [non]
Być może	Peut-être [peutetr]
Proszę	S'il vous plaît [sil wu ple]
Dziękuję	Merci [mersi]
Nie ma za co	De rien [de rję]
Przepraszam!	Excusez-moi! [ekskjuze mła]
Słucham?	Comment? [komang]
Nie rozumiem	Je ne comprends pas [żen kongprang pa]
Mówię tylko trochę po francusku	Je parle un tout petit peu français [szparl ę tu pti pe franse]
Może mi Pan/Pani pomóc?	Vous pouvez m'aider, s.v.p.? [wu puwe mejde sil tu ple]
Dzień dobry!	Bonjour! [bążur]
Dobry wieczór!	Bonsoir! [bąsuar]
Cześć! Witaj!	Salut! [sali]
Jak Pan się nazywa?	Comment vous appelez-vous? [komang wuz‿aple wu]
Jak się nazywasz?	Comment tu t'appeles? [komang ti tapel]
Nazywam się...	Je m'appelle... [że mapel]
Jestem z Polski	Je suis de Pologne [że słi de polone]
Do widzenia!	Au revoir! [a rewuar]
Pomocy!	Au secours! [o skur]
Proszę szybko zadzwonić...	Appelez vite... [aple wit]
... po karetkę pogotowia	... une ambulance [in ambulans]
... po policję	... la police [la polis]

W DRODZE

Kierunki

Przepraszam, gdzie jest...?	Pardon, où se trouve... s.v.p.? [pardą, us truw... sil wu ple]
... dworzec?	... la gare [la gar]
... lotnisko?	... l'aéroport [laeropor]

... przystanek?	... l'arrêt [lare]/... la station [la stasją]
... postój taksówek?	... la place de voitures... [la plas de woltir]
Autobus/prom/pociąg	le bus [le bus]/le bac [le bak]/le train [le trę]
Przepraszam, jak dojdę do?	Pour aller à..., s.v.p.? [pur ⌣ ale a sil wu ple]
Cały czas prosto aż do...	Vous allez tout droit jusqu'à... [wuz ⌣ ale tu druła żiska]
Potem skręcić w lewo/w prawo.	Ensuite, vous tournez à gauche/ à droite [Ałslit wu turne a gosz/adruat]
Blisko/daleko	Près [pre]/loin [lue]
Proszę przejść przez...	Vous traversez... [wu trawerse]
... most	... le pont [le pą]
... plac	... la place [la plas]
... ulicę	... la rue [la rü]
Chciałbym wynająć...	Je voudrais louer... [żwudre lułe]
... samochód	... une voiture [ün wuatür]
... rower	.... un vélo. [ę welo]
... łódź	... un bateau. [ę bato]
Otwarte/zamknięte	Ouvert, e [uwer, uwert]/fermé, e [ferme]
Pchać/ciągnąć	Presser [prese]/tirer [tire]
Wejście/wyjście	L'entrée [elątre]/la sortie [la sorti]
Przepraszam, gdzie są toalety?	Où sont les W.-C., s.v.p.? [u son le wese sil wu ple]
Panie/panowie	Dames [dam]/messieurs [mesje]

ATRAKCJE TURYSTYCZNE

Kiedy to muzeum jest otwarte?	A quelle heure ouvre le musée? [a kel ⌣ er uwre le müze]
Kiedy zaczyna się zwiedzanie?	La visite guidée est à quelle heure? [la wizit gide et ⌣ a kel ⌣ er]
Stare Miasto	le vieille ville [le wjej wil]
wystawa	l'exposition [lekspozisją]
nabożeństwo	l'office [lofis]
kościół	l'église [legliz]
ratusz	la mairie [merij]/ l'hôtel de ville [lotel de wil]
zamek	le château [le szato]
plan miasta	le plan (de la ville) [le plan (de la wil)]

DNI TYGODNIA I GODZINY

poniedziałek	lundi [lędi]
wtorek	mardi [mardi]
środa	mercredi [merkredi]

czwartek	jeudi [żedi]
piątek	vendredi [wandredi]
sobota	samedi [samdi]
niedziela	dimanche [dimansz]
dzisiaj/jutro	aujourd'hui [oszurdłi]/demain [demę]
codziennie	par jour [par żur]
Która godzina?	Quelle heure est-il? [kel‿er et‿il]
Jest godzina trzecia	Il est trois heures [il‿et truas‿er]
Jest wpół do trzeciej	Il est deux heures et demie [il‿et des‿er e dmi]
Jest za kwadrans trzecia	Il est trois heures moins le quart [il‿et truas‿er mułel kar]
Jest kwadrans po trzeciej	Il est trois heures et quart [il‿et truas‿er e kar]

GASTRONOMIA

Poproszę kartę dań	La carte, s.v.p. [la kart sil wu ple]
Wezmę...	Je prendrai... [że prandre]
Poproszę szklankę...	Un verre de..., s.v.p. [ę wer de... sil wu ple]
sztućce	les couverts [le kuwer]
nóż/widelec/łyżka	le couteau [la kuto]/la fourchette [la furschet]/ la cuillère [la kuljer]
przystawka	le hors-d'œuvre [le ordewr]
danie główne	le plat de résistance [le plad rezistens]
deser	le dessert [le deser]
sól/pieprz	le sel [le sel]/le poivre [le puawr]
ostre	fort, e [for, fort]
Jestem wegetarianinem/wegetarianką	Je suis végétarien [że słi weszetarian]
napiwek	le pourboire [le purbuar]
Rachunek, proszę	L'addition, s.v.p. [ladisją, sil wu ple]

ZAKUPY

Gdzie mogę kupić...?	Où est-ce qu'on peut acheter...? [u es kon pet aszte]
apteka	la pharmacie [la farmas]
piekarnia	la boulangerie [la bulanżri]
dom towarowy	le grand magasin [le gran magazen]
sklep spożywczy	l'épicerie [lepisri]
rynek	le marché [le marsze]
Czy ma Pan/Pani...?	Vous avez...? [wuz‿awe]
Chciałbym/chciałabym...	J'aimerais... [żemre]

Poproszę torbę na zakupy	Un sac, s.v.p. [ę zak sil wu ple]
To mi się nie podoba	Ça ne me plaît pas [san me ple pa]
Ile to kosztuje?	Combien ça coûte? [konbję sa kut]
Czy przyjmują Państwo karty kredytowe?	Vous prenez les cartes de crédit? [wu prene le kart de kredi]

Mam u Państwa zarezerwowany pokój	J'ai réservé une chambre chez vous [że rezerwe uin szanbre sze wu]
Mają Państwo jeszcze...	Est-ce que vous avez encore... [es‿ke wuz‿awe angkor]
... pokój jednoosobowy?	... une chambre pour une personne? [uin szanbr pur uin person]
... pokój dwuosobowy?	... une chambre pour deux personnes? [uin szanbr pur deu person]
z łazienką	avec salle de bains [awek sal de beng]
Ile kosztuje pokój ze śniadaniem?	Quel est le prix de la chambre, petit déjeuner compris? [kel‿e le prid la szanbr pti deeschene kąnpri]

Czy może mi Pan polecić lekarza?	Vous pourriez recommander un médicin, s.v.p.? [wu purje rekomande ę medsę sil wu ple]
Tu mnie boli	J'ai mal ici [że mal isi]
Poproszę jeden znaczek	Un timbre, s.v.p. [ę tambre silwu ple]
kartka pocztowa	la carte postale [la kart postal]
Gdzie tu jest bank?	Pardon, je cherche une banque? [pardą, że szersz uin bang]
bankomat	la billetterie [la bijetri]

1	un, une [ę, uin]		11	onze [ons]
2	deux [deu]		12	douze [dus]
3	trois [trua]		20	vingt [weng]
4	quatre [katr]		50	cinquante [sęnkant]
5	cinq [sęk]		100	cent [sang]
6	six [sis]		200	deux cents [deh sang]
7	sept [set]		500	cinque cents [seng sang]
8	huit [uit]		1000	mille [mil] [dojzent]
9	neuf [nef]		1/2	un demi [ę dmi]
10	dix [dis]		1/4	un quart [ę kart]

Atlas samochodowy Francji

Skorowidz map umieszczono na okładce
z tyłu przewodnika

Dostosowana
do Twoich potrzeb

www.Pascal.pl

księgarnia turystyczna
www.pascal.pl

Polski / English	Symbol	Français / Nederlands
Autostrady, drogi wielopasmowe - w budowie Highway, multilane divided road - under construction	═══ ═ ═ ═	Autoroute, route à plusieurs voies - en construction Autosnelweg, weg met meer rijstroken - in aanleg
Drogi międzymiastowe - w budowie Trunk road - under construction	━━━ ━ ━ ━	Route à grande circulation - en construction Weg voor interlokaal verkeer - in aanleg
Drogi główne Principal highway	────	Route principale Hoofdweg
Drogi podrzędne Secondary road	⋯⋯⋯	Route secondaire Overige verharde wegen
Drogi nieutwardzone, szlak Practicable road, track	────	Chemin carrossable, piste Weg, piste
Drogi oznaczone Road numbering	E20 11 70 26	Numérotage des routes Wegnummering
Odległości w kilometrach Distances in kilometers	● 259 ● 130 129	Distances en kilomètres Afstand in kilometers
Wysokość w metrach - przełęcz Height in meters - Pass	1365 ● ‿	Altitude en mètres - Col Hoogte in meters - Pas
Linie kolejowe - promy kolejowe Railway - Railway ferry	▬▬▬ ⋯⋯⋯	Chemin de fer - Ferry-boat Spoorweg - Spoorpont
Promy samochodowe - szlaki wodne Car ferry - Shipping route	──── ─ ─ ─	Bac autos - Ligne maritime Autoveer - Scheepvaartlijn
Lotniska międzynarodowe - lotniska Major international airport - Airport	✈ ✈	Aéroport importante international - Aéroport Belangrijke internationale luchthaven - Luchthaven
Granice państw - granice regionów International boundary - Province boundary	▨▨▨ ▬▬▬	Frontière internationale - Limite de Province Internationale grens - Provinciale grens
Granice nieoznaczone Undefined boundary	▨▨ ▨▨ ▨▨	Frontière d'Etat non définie Rijksgrens onbepaalt
Granica zmiany czasu Time zone boundary	-4h Greenwich Time ●●●●●●●●●●● -3h Greenwich Time	Limite de fuseau horaire Tijdzone-grens
Stolica kraju National capital	**STOCKHOLM**	Capitale nationale Hoofdstad van een souvereine staat
Stolica prowincji Federal capital	<u>**Nancy**</u>	Capitale d'un état fédéral Hoofdstad van een deelstat
Obszar zamknięty Restricted area	▨▨▨▨	Zone interdite Verboden gebied
Parki narodowe National park	▨▨▨▨	Parc national Nationaal park
Ruiny Ancient monument	∴	Monuments antiques Antiek monument
Interesujące zabytki kultury Interesting cultural monument	✶ *Chambord*	Monument culturel intéressant Bezienswaardig cultuurmonument
Interesujące zabytki przyrody Interesting natural monument	✶ *Gorges du Tarn*	Monument naturel intéressant Bezienswaardig natuurmonument
Studnie Well	‿	Puits Bron
Wycieczki Excursions & tours	▨▨▨▨	Excursions & tours Uitstapjes & tours

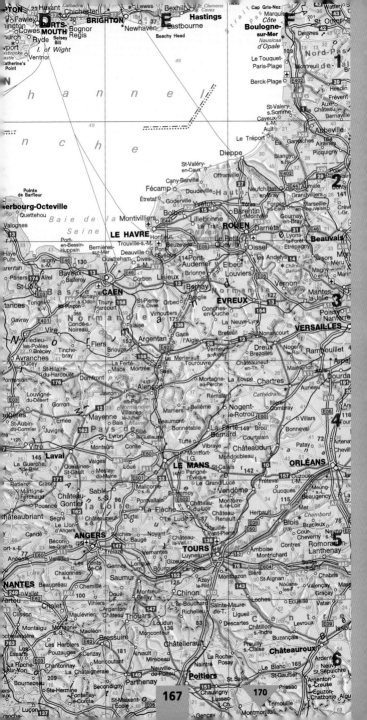

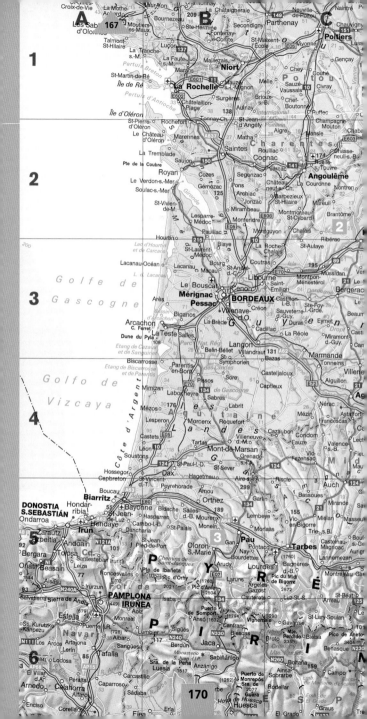

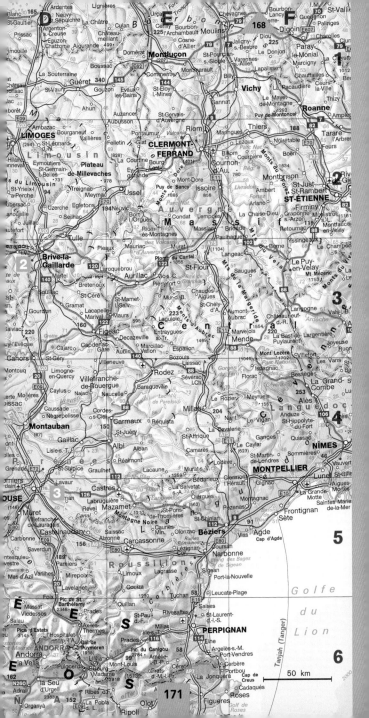

171

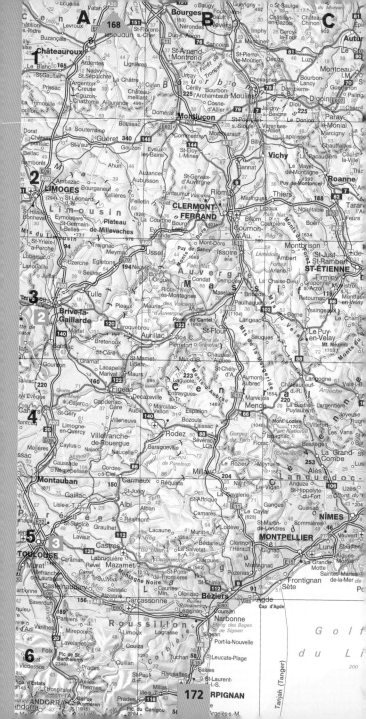

174

4 km

© Hallwag AG, Bern

na północ...

z południa

atlasy i mapy **MARCO🌐POLO**

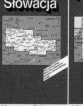

z północy

na południe…

Indeks zawiera wymienione w przewodniku miejscowości, parki narodowe, rezerwaty, a także wszelkie inne elementy ukształtowania terenu, jak pasma i szczyty górskie, rzeki, jeziora, wyspy, doliny, wąwozy, jaskinie, oraz ważne postacie historyczne.

Prosimy o listy

Drogi Czytelniku, Droga Czytelniczko!

Autorzy i wydawcy przewodnika starali się, by jego tekst był rzetelny. Nie mogą jednak wziąć odpowiedzialności za jakiekolwiek skutki wynikające z wykorzystania podanych w nim informacji. Czekamy na listy z uwagami.

Nasz adres: Wydawnictwo Pascal sp. z o.o., 43-300 Bielsko-Biała, skr. poczt. 329, pascal@pascal.pl

Ilustracja na okładce: Mont-Saint-Michel (Huber: Giovanni)
Zdjęcia: W. Dieterich (6, 11, 20, 72, 76, 85, 101, 103, 106, 109, 111, 116, 117, 120, 123, 125, 129, 130, 138, 143, 149); Feldhoff & Martin (2 g.); F. Frei (56); R. Freyer (7, 30, 40, 136); R. M. Gill (134, 150); G. Hartmann (9, 66, 73); HB-Verlag (53, 54); HB-Verlag: Kirchner (4, 43, 45); Huber: Giovanni (163); H. Krinitz (24); Lade: Lange (25); Ott (27); Laif: Huber (15); Mauritius: Mehlig (5 p.), Dr. Wirth (145); H. P. Merten (1, 26, 28, 48); REA: Craig (35); Schapowalow: Heaton (2 d.), Pratt-Pries (36); Schuster: Bernhart (94); Explorer (okł. p., 12, 77), Nacivet (67); T. Stankiewicz (okł. l., 5 l., 17, 22, 61, 71, 81, 93, 126, 133, 137, 140, 146, 152); M. Thomas (okł. śr., 118, 135); E. Wrba (18, 33, 37, 41, 47, 49, 59, 60, 69, 82, 87, 90, 92, 97, 98, 99, 100, 108, 114, 121)

Wydanie polskie przygotowano na podstawie wydania IX zaktualizowanego 2005 © MAIRDUMONT, Ostfildern
Wydanie I, 2006 © Wydawnictwo Pascal/MAIRDUMONT, Ostfildern
Wydawca: Ferdinand Ranft
Redaktor naczelny: Marion Zorn
Redakcja: Manfred Pötzscher
Opracowanie zdjęć: Gabriele Forst
Opracowanie kartograficzne atlasu samochodowego: © MAIRDUMONT/RV Verlag, Ostfildern
Skład: red.sign, Stuttgart
Słowniczek we współpracy z Ernst Klett Sprachen GmbH, Stuttgart, PONS Wörterbücher

Wersja polska:
Tłumaczenie: Wojciech Wagner
Redakcja: Joanna Ciągała
Korekta: Jolanta Bąk
Skład: Jarosław Hess
Redakcja techniczna: Alicja Babicka-Wasilkowska
Kierownik projektu: Marcin Gałuszka

Wydawnictwo Pascal sp. z o.o.
43-300 Bielsko-Biała, ul. Kazimierza Wielkiego 26
tel. 03382828828, fax 0338282829, pascal@pascal.pl, www.pascal.pl

ISBN 3-8297-6364-6

Rady i przestrogi

Na co dzień w czasie podróży warto przestrzegać pewnych zasad

Nie dać się okraść

Kradzieżom sprzyjają zatłoczone miejsca publiczne. W paryskich muzeach aż roi się od wyszkolonych kieszonkowców. Na uczęszczanych trasach i w popularnych regionach turystycznych grasują bandy specjalizujące się w kradzieżach samochodów. W żadnym wypadku nie należy pozostawiać pojazdu na noc w niezabezpieczonym miejscu; auto będzie bezpieczne w hotelowym garażu lub na strzeżonym parkingu. W wielkich miastach oraz regionach takich, jak Prowansja, Lazurowe Wybrzeże czy wybrzeże atlantyckie, należy zachować ostrożność również w ciągu dnia. Nie wolno zostawiać wartościowych przedmiotów w samochodzie!

Nie dać się zadeptać

Są miejsca, które po prostu trzeba zobaczyć, jak np. Mont-St-Michel, Les Baux, Rocamadour, Lourdes czy Place du Tertre w Paryżu. Niestety, w szczycie sezonu atrakcje te lepiej omijać szerokim łukiem, chyba że komuś nie przeszkadzają straszliwe tłumy, natrętni handlarze i drożyzna. Kto wybierze się nad Loarę poza sezonem, z pewnością nie pożałuje – większość zamków otwarta jest przez cały rok.

Nie dać się nabrać

Najlepszym sposobem na uniknięcie nieprzyjemnych sytuacji jest rozwaga: wystrzeganie się odludnych uliczek, pustych plaż i ciemnych zaułków. *Dragueur* to typ, dla którego podrywanie jest rodzajem sportu. Aby pozbyć się natręta, często wystarcza energiczne i zdecydowane: *casse-toi!* („spadaj!"). Uwodziciel może też spróbować wciągnąć „ofiarę" w pseudoprzyjacielską, ciekawą rozmowę. Nie wolno dać się nabrać – *dragueur*, który nie osiąga swojego celu, bywa bardzo nieprzyjemny.

Nie całować klamki

Kto planuje zwiedzanie jakiegoś obiektu po południu, powinien pamiętać, że w wielu miejscach ostatnich zwiedzających wpuszcza się 45 minut, a nawet godzinę przed oficjalnym zamknięciem placówki.

Nie być lekkomyślnym

Wysokie fale i silne prądy wybrzeża atlantyckiego stały się pułapką dla wielu doświadczonych pływaków. Często nie docenia się także niebezpieczeństw czyhających przy kiepskiej pogodzie w górach. Przed wyruszeniem na szlak zawsze należy zapoznać się z prognozą pogody.